BUZZ

Publisher ANDERSON CAVALCANTE
Editora SIMONE PAULINO
Assistente editorial SHEYLA SMANIOTO
Projeto gráfico ESTÚDIO GRIFO
Assistentes de design LAIS IKOMA, STEPHANIE Y. SHU
Revisão LIVIA LIMA

Dados Internacionais de Catalogação na Publicação (CIP)
(Câmara Brasileira do Livro, SP, Brasil)

Vilarinho, Thaís
Mãe fora da caixa / Thaís Vilarinho
São Paulo: Buzz Editora, 2017.
208 pp.

ISBN 978-85-93156-34-2

1. Desenvolvimento pessoal 2. Mães e filhos
3. Mães – Experiências de vida 4. Maternidade
5. Relatos pessoais I. Título.

17-10136 CCD-649.1

Índices para catálogo sistemático:
1. Mães: Relatos pessoais: Vida familiar 649.1

Buzz Editora Ltda.
Av. Paulista, 726 – mezanino
CEP: 01310-10 São Paulo, SP

[55 11] 4171 2317
[55 11] 4171 2318
contato@buzzeditora.com.br
www.buzzeditora.com.br

mãe fora da caixa

Thaís Vilarinho

Com meu amor para os meus filhos
Matheus e Thomás.
Sem vocês, nada disso existiria.

Ei, você, sim, você que abriu este livro.

Você talvez já me conheça do @maeforadacaixa. Se sim, pode entrar, seja bem-vinda. Aqui também é nossa casa.

Se você não me conhece de lá, fica o alerta: aqui não tem certo ou errado, o que você deve ou não deve fazer, não! Aqui tem um espaço de troca sobre maternidade, isso sim. Cada texto é um ponto de encontro, primeiro nas redes sociais, agora neste livro, para falar tudo o que calam sobre a maternidade.

Enquanto escrevia este livro, fui interrompida muitas vezes. Precisei de muitas pausas ao som de mamããããe para limpar bumbum depois do cocô, apartar brigas, preparar refeições, repetir mil vezes a mesma coisa, ficar estressada com a falta de obediência, buscar na escola, ler histórias, beijos de boa noite, e até para acudir meu filho, madrugada adentro, depois de um pesadelo. Nesse momento, meus filhos estão com amigos em casa e eu escrevo ao som de brincadeiras e correria.

Sou uma mãe como você.

Aqui, a maternidade é #semfiltros.

Compartilho meus sentimentos mais íntimos, vivências minhas e textos de leitores e convidados. Alegrias, conquistas, aprendizados, sim. Mas também medos, angústias, conflitos. O amor materno é controverso, este livro também. O amor materno faz você ir do céu ao inferno e voltar. Este livro, como a maternidade, como nossas experiências, é universal, mas também é particular.

É meu e é seu também, porque as experiências nos unem, você vai ver.

Sim, isso é um convite.

Maternidade. *S. f.*

O que é ser mãe? Eu não tinha ideia. Nos livros que lia durante a gravidez, ser mãe era simples. A mesma coisa nos cursos para gestantes. Ninguém conta como você vai se sentir de verdade, pouco se fala em puerpério e muito se fala em mães cheias de felicidade. Cadê o glamour que nos prometem?

Quanta ilusão! Eu lia, fazia cursos e esquecia de um pequeno detalhe, um detalhe capaz de mudar minha vida: o bebê que ia chegar.

Como pude criar qualquer tipo de expectativa sem conhecer a outra parte dessa relação?

Esqueci que meu filho teria características próprias. Não seria um boneco. Esqueci que cada bebê, assim como cada uma de nós, tem suas particularidades. Seu jeitinho de ser, agir e respirar. A maternidade não é feita só da mãe. E sim da mãe, do bebê, e de uma realidade singular que é criada a partir desse encontro.

No dicionário, devia vir assim:

Maternidade. *S. f.* Encontro.
Você quer usar ***sling***, mas e se o seu bebê não gostar? Bebês precisam muito de colo e você poderá passar o dia sem conseguir tomar um banho. Mesmo certa de que vai

colocar seu filho para dormir no berço desde a primeira noite, pode ser que ele não se adapte.

Maternidade. *S.f.* Jogo de cintura.
Amamentar não é como nas fotos. Cabelo penteado, quarto arrumado ao fundo? Ilusão!

Amamentar envolve cabelo despenteado, pijama e cansaço. Tem bebês que acordam de hora em hora. As madrugadas são cruéis. Recém-nascido tem cólica e não tem remédio, chazinho ou bolsa de água quente que faça passar. Choro de cólica é doído e angustia a gente.

Maternidade. *S.f.* A vida de pernas para o ar.
Vivemos imaginando, colocando regras e estipulando fórmulas antes mesmo deles nascerem. E eles? Eles só querem uma mãe. Não importa sua profissão, onde você mora, seu nível social. Seu filho pouco se importa se vai nascer de parto normal ou cesárea, se vai mamar no seu peito ou na mamadeira.

Ele te aceita da maneira que você é, aceita o que você pode oferecer.

Que tal aprendermos com os nossos filhos? Dá um alívio e afasta as expectativas fantasiosas.

Maternidade. ***S. f.*** **1. Estar sempre fazendo alguma coisa. 2. Escutar choro de bebê mesmo com ele dormindo. 3. Acordar e cuidar do filho antes mesmo de fazer seu xixi. 4. Não conseguir se olhar no espelho. 5. Viver com um coque no cabelo.**

1

antes da maternidade chegar

Mãe de verdade, mãe de mentirinha

Sempre foi minha brincadeira preferida. Boneca, carrinho, bercinho, paninhos. Amava tudo! Tanto que o desejo de ser mãe ficou logo meu amigo. Vontade da barriga, de amamentar, de ser colo. Acalmar o choro, fazer a dor passar, tudo.

Parecia certo. Perfeito. Fácil.

Minha irmã nasceu quando eu tinha oito anos e tudo se confirmou. Meu grande sonho era real. Era a minha irmã entre os meus braços, não uma boneca de mentirinha. Ela era a minha boneca real e tudo continuava perfeito. Um sinal de que seria perfeito também quando fosse o meu próprio filho, certo?

Errado. Parecia fácil porque, por trás da minha brincadeira predileta, por trás da boneca humana e da mãe de mentirinha, havia uma mãe real e sobrecarregada. Uma mãe tentando lidar com as demandas de criar duas filhas, uma recém-nascida e outra criança.

A mãe de verdade estava ali, presente, dando conta de tudo para eu continuar sonhando.

Não é isso o que as mães fazem? Tudo para os filhos continuarem sonhando.

Certa vez, eu brincava com minha irmã. Boneca, carrinho, bercinho, paninhos. Até que ela começou a chorar. Eu peguei no colo e fui entregar para quem? Minha mãe, claro! Para quem mais a gente entrega um bebê chorando?

Minha mãe estava lavando a garagem de casa. Chão escorregadio. Ela me viu andando no chão molhado e ensaboado, minha irmã no colo, nós duas deslizando, ela deu um grito tão alto que escorreguei. Protegi minha irmã, abracei bem forte minha filha de mentirinha. Ela nem chorou, caiu em cima de mim. A mãe de verdade quase morreu de preocupação. Eu, criança, havia batido as costas e a cabeça.

De verdade.

Minha mãe era a mãe de nós duas. Eu só era uma menina de oito anos brincando de mamãe e filhinha. Mãe? Só de mentirinha.

Depois disso, não tive nenhuma outra demonstração. Nem sobrinhos, nem amigas com filhos. Fui a primeira. Estreia. Quando me peguei sozinha com meu bebê que não parava de chorar, percebi que era o mundo para alguém. Eu não podia entregá-lo para a mãe de verdade. Eu era a mãe de verdade. Eu o receberia nesse e em tantos outros choros.

Saí rapidamente da fantasia. Meu bebê no colo, deixei para trás minha carreira como mãe de mentirinha.

Se tive uma maternidade perfeita? Não, tive uma de verdade.

Incalculável

CAMILA PICKLER

Li em algum lugar que ter um filho criado até a vida adulta vai me custar um valor milionário. Na verdade, isso deve ser para a classe top das galáxias. No meu caso, essa conta deve se reduzir a alguns zeros e, ainda assim, seria o suficiente para dar umas voltas em Nova York pilotando um carro incrível.

Estamos na metade do ano e já se foram alguns mil reais em plano de saúde, exames, remédios, alimentação, fraldas, roupas, material escolar, brinquedos, lazer. Fora os prejuízos materiais como celular quebrado por uma mordida, móveis destruídos por não suportar o peso de um bebê e sei lá mais quantas contas eu teria que fazer para calcular o custo de um filho.

A verdade é que se você comparar um filho com notas de papel, o verdadeiro valor já se perdeu. Se sua dúvida é "ter um filho ou ter grana?", aconselho você a ter grana. Quem faz esse tipo de comparação não saberá dar valor verdadeiro a uma criança.

Vamos às contas! A cada abraço de bom dia, eu deixo de gastar em consultas com psicólogo. A cada apresentação da escola, eu ganho um dia a mais de vida. A cada beijo de boa noite, eu economizo com futuros problemas depressivos.

Estou investindo essa nota toda em gargalhadas e lágrimas de felicidade. Essa pequena fortuna está mantendo meus dias de heroína.

A cada “eu te amo”, eu deixo o cardiologista com menos serviço. Toda vez que sou acordada de madrugada, estou mantendo minha saúde em dia, longe de bebidas e *fast food*. Estou investindo em um artista que faz a minha caricatura com os olhos maiores que a boca. Essa grana toda é destinada à renovação de uma sociedade. É um investimento em adultos bem-sucedidos.

Estou, na verdade, tentado calcular o tamanho da minha felicidade, e ela é incalculável.

Uma vida inteira por preço de banana, que sorte eu tenho!

Quem não é mãe não é ET

Como assim você não quer ser mãe? Eu questionava minha amiga. Como não querer conhecer o amor por um filho? Como não querer se perpetuar através de alguém? Não faz sentido! Eu falava.

Então entendi. Entendi quando a responsabilidade da maternidade chegou para mim. Ficou tudo tão claro. Ser mãe não é como viajar ou comprar um computador. Escolher entre ser ou não ser mãe não é escolher entre dar uma volta ou ficar em casa.

Escolher.

Finalmente, temos liberdade para decidir entre uma coisa e outra, entre ser mãe e não ser. Ainda que existam preconceitos contra quem caminha em uma direção diferente do padrão casar e ter filhos. Por que reforçar preconceitos ao invés de celebrar a escolha?

Vamos pensar nessas mulheres que não têm filhos? O que será que passa na cabeça delas?

Imagine uma mulher. Ela acha que o mundo precisa de tanto amor que se abdica de vivenciar a maternidade e opta por outras formas de se entregar e se doar. Imagine outra mulher. Uma com tanta compaixão que se liberta de perpetuar seus genes através de um filho para perpetuar seus conhecimentos e aprendizados pelo mundo.

Doar-se para alguém que não é o seu filho, isso não é louvável?

Pense na mulher que não quer ter filhos porque decidiu focar somente no trabalho, você deve conhecer alguma. Ter uma criança talvez não se encaixe nos sonhos dela, qual o problema? Qual o problema de se voltar somente para si? Qual o problema de buscar identidade e independência num mundo onde, durante tantos anos, as mulheres foram obrigadas a se anular por conta do papel de mãe?

Sem falar nas mulheres que gostariam de ter filhos, mas não puderam realizar esse sonho.

Minha amiga, eu te entendo agora. Desculpe se te julguei. Precisei ser mãe para entender que a maternidade é uma escolha e que você escolheu outras coisas para sua vida, coisas brilhantes e cheias de afeto.

Ser mãe é abrir mão de muita coisa. Do tempo, da tranquilidade, do sono. Muitas vezes, é abrir mão das próprias vontades. E deve ser, portanto, uma escolha. Não uma obrigação. Uma escolha.

Vamos respeitar e acolher escolhas diferentes das nossas?

Qual é a hora certa para ter um filho?

JÚLIA DRUMOND

A hora certa de ter um filho é depois de dois anos de casamento. Não. É antes dos trinta. Mentira. Talvez seja depois dos trinta. Não. Então depois de ter casa própria. Mentira. Será que depois de conhecer todos os lugares que tiver vontade? Não. Deve ser depois de fazer especialização, mestrado? Não. Ah, então depois do doutorado? Não. Hum, talvez seja quando a gente, finalmente, ganha mais. Mentira.

Não existe hora certa. Tudo bem, concordemos que gravidez na adolescência não é bem o que a gente planeja. A questão é que, depois de virar mãe, percebemos que não existe hora. Depois que nos tornamos mães, percebemos que diversas teorias sobre "A Melhor Hora para Ter um Filho" são uma furada. Sim, eu ainda quero estudar mais. E conhecer outros lugares. Crescer profissionalmente também não é uma má ideia.

Explico: não são as aspirações em si que são diferentes, mas a forma como elas se dão. Estudar mais, mas podendo conciliar com os futuros estudos (e lazeres) do meu filho. Viajar mais, mas pensar em lugares que são divertidos também para crianças. Crescer profissionalmente, mas de forma que não me impeça de acompanhar o crescimento do meu filho.

A maternidade muda a nossa vida. Consome muito tempo e energia, mas não pode nos privar dos sonhos e planos que são fundamentais para nossa realização pessoal. Ver tudo sob uma nova perspectiva é uma delícia: o tilintar da colher ao bater no copo, a textura do papel ao ser amassado, a beleza de um paninho a balançar no vento. Em cada detalhe, redescubro, pelos olhos do meu filho, a beleza da vida.

Esse olhar curioso, atento, feliz, faz o mundo se abrir em infinitas possibilidades. A maternidade nos expande.

Parceiro ideal, pai ideal?

Quando a gente encontra o par ideal, aquele que faz nosso coração acelerar, é tão bom! Juras de amor, vontade de não soltar mais. O amor é lindo! Daí bate aquela vontade gostosa de ter filhos, o filho nasce – e esse amor gostosinho, romantizado, onde vai parar? Esteja preparada.

Vamos desromantizar: a chegada de um filho escancara as diferenças. Coloca a relação em um lugar que, até então, não existia. Vocês vão discordar entre si. Muito. Mesmo.

Se o seu grande amor é exatamente o pai que você imaginava, parabéns! Você tirou a sorte grande. Mesmo assim, vão haver divergências. Sério! Por isso, é importante falar do que realmente acontece. O tombo não precisa ser tão grande. Os ajustes podem ser mais tranquilos. Vamos lá.

Você foi educada de uma maneira e ele de outra. Vocês vão divergir, é natural. Se os princípios forem muito diferentes, as coisas complicam ainda mais. Vocês vão precisar de muita conversa. Falar, falar e ouvir, ouvir, ouvir. Os dois vão precisar aprender a ouvir.

Além disso, o tempo só do casal diminui radicalmente. Tudo tem que se ajustar à nova prioridade, à nova realidade, ao bebê. E pode levar bastante tempo.

Conheço muitas histórias de separações que acontecem nessa fase de bebês pequenos, você também deve conhecer. Faz sentido, afinal, essa época carrega uma grande descoberta: nem sempre o parceiro ideal é o pai que esperávamos para os nossos filhos. E, claro, nós também podemos não ser a mãe que eles esperavam para os filhos deles.

O amor romantizado fica para trás. Ter filhos é outra história.

Desassossego

A gente escolhe ser mãe. Mas, antes da maternidade chegar, nenhuma de nós tem noção da grandiosidade dessa escolha, mesmo tendo pessoas próximas passando por essa experiência. Desejamos ser mães, mas não fazemos ideia do que significa ter um filho – até ter um nos braços.

Fico tentando lembrar se alguém me falou sobre o quanto essa escolha é o divisor de águas na vida de uma mulher. A resposta é não. Ninguém fala sobre a transformação, sobre esse encontro com a nossa essência. Abala nossa estrutura. Remexe lá no fundo.

As pessoas falam do superficial, do sonho cor de rosa que, na prática, quase nunca é a realidade. Muito se fala em plenitude e pouco se fala no desassossego que é gerar um ser que depende da gente. Muito se fala em serenidade e pouco sobre o quanto é difícil termos que lidar todos os dias com o imprevisível. Muito se fala em sensação de paz e pouco em como as coisas saem do nosso controle.

Muito se fala sobre se sentir completa e pouco se fala sobre o quanto sentimos uma solidão ímpar e por tempo indeterminado.

Sim, é solitário, imprevisível e zero sossego. Mas é o mais profundo passeio dentro de nós mesmas. É terapia diária!

durante a espera

Positivo

Grávida? Não entendi muito aquilo, não conseguia acreditar, muito menos dar significado. Riso e choro se misturaram. Então já sou mãe? Como assim? Posso anunciar? Tem mesmo que esperar três meses? E me disseram: "Sim, ainda é muito cedo para contar". Mesmo assim, minhas mãos ainda um pouco tímidas começaram a passear pela barriga e veio a conexão.

É tudo novo, dentro do nosso velho conhecido corpo. O casulo se formando. Tantas coisas são gestadas ali dentro! Sonhos, sentimentos. Espaços vão se abrindo. Órgãos comprimindo. Mistura, dois corpos em um. O sangue circula, a barriga cresce, a vida nova vem chegando. A prova? Os chutinhos. Dá frio na barriga, sim, estamos formando um novo ser. Estamos dando vida a alguém. Cabe na barriga, mas não cabe no peito, é muita emoção. Os pulmões apertam. Falta o ar, mas não falta amor.

Dá aquela ansiedade de ver o bebê fora. E também angústia de ele, de repente, não estar mais dentro. Lembro do meu último banho, nas duas gestações. O saudosismo começa ali, antes deles saírem. Choro e braços entrelaçados na barriga. Sensação boa de dever cumprido. Eles saíram no tempo deles. Foram meses com o corpo trabalhando sem parar. Enquanto eu, ansiosa, aprendia a esperar.

Sentimentos da gravidez

KARINA BACCHI

Que experiência mais poderosa essa de dar vida a um filho. Temos sido cúmplices desde que você foi encaminhado a mim. Um dia, a urgência por ter você passou a ser algo essencial para minha alma, para o meu desenvolvimento como mulher e como ser humano. Fui nutrida de coragem e de luz para te receber. Sua história já começou cheia de garra. Nunca estivemos sós. Eu sabia que você viria – tinha certeza – era pra ser, era você. Já estávamos conectados, nutridos de afeição.

Quanta coisa vivemos juntos nesses nove meses com você aqui dentro. Parcelas infinitas de amor. Dançamos, rimos, até banho de leite experimentamos. Choramos de emoção, recebemos milhares de mensagens lindas. Ajoelhamos com gratidão. A cada centímetro crescente na minha circunferência, mais minhas mãos se sentiam imantadas à barriga, mais e mais eu queria te tocar, te proteger. Você sabia que minhas roupas encheram de bolinhas na região da barriga de tanto eu acariciar você? Você se mexia e se virava achando graça. Mesmo em meio a tanta expectativa, comemoramos cada instante, vivemos meses de extrema doçura e intensidade. A ansiedade tinha pés ligeiros, principalmente na reta final da gestação, mas nosso estado contemplativo também absorvia cada vibração boa, cada presente da vida!

Você foi tão bom pra mim. Sem enjoos, azias, estrias, mudanças de humor, medo ou indisposição. Tudo fluiu em paz, só ficamos mais famintos. Tivemos a fase do abacaxi com sal, dos carboidratos, dos brigadeiros recheados de uva, da água com limão. Saboreamos cada instante. Foram mais de vinte quilos, mas isso nunca foi um peso. Cada curva está eternizada nas imagens que registramos. Você me completou. E como será daqui pra frente? Não sei. Mas estamos tranquilos porque sabemos que temos força e amor de sobra. Desejo que sejamos capacitados, que possamos lapidar nossas qualidades, que sejamos amigos, que possamos viver em harmonia. Seu futuro está sendo plantado. E prometo: cultivaremos as melhores sementes. Tenho separado há anos as mais prósperas pra você. Vem, meu filho. Vamos viver!

Sim, você vai ser julgada

Preciso te contar uma coisa chata: você vai ser julgada. É triste, eu sei, mas é o que acontece. E não importa se você dá o seu melhor. Sempre vai ter alguém para te apontar o dedo.

"Ai, mas tá tão calor! Ele está chorando, deve ser sede. Por que você só dá o leite do peito e não oferece água?".

"Nossa, as mãozinhas dele estão geladas, você precisa agasalhá-lo melhor, não acha?".

Perdi tanto tempo tentando preencher as expectativas dos outros sobre a mãe que eu sou! A insegurança e o medo do novo faziam isso comigo. Talvez faça parte do processo, mas tive que parar. Pensa bem: o tempo já é tão pouco, por que gastar energia com isso?

Maternar engole os segundos e se alimenta das horas. Ouvir um conselho é uma coisa! Repensar e refletir é saudável. Agora, querer mudar em função da "pregação" alheia só faz mal. É uma questão de economia: vamos nos libertar do que não nos faz bem?

Ouviu, não faz sentido? Deleta. Fez você repensar? Pondere. Deu paz, afeto? Agradece.

Se dermos ouvidos a todos os comentários e julgamentos, não vamos ter segurança no que mais precisamos: fazer escolhas. Não tem como ser bem-sucedida nessa busca por agradar a todos, afinal, cada um espera algo diferente da gente.

O seu filho veio para você. O meu veio para mim. Eles vêm de quem nós somos. Tem gente que até diz que eles nos escolhem. Por que não confiar em nós mesmas e seguirmos firmes, então? Vamos errar? Claro, mas é muito melhor aprender através das nossas escolhas e consequências, do que das escolhas e consequências dos outros.

Que sejamos felizes e nos orgulhemos de nossos equívocos e de nossas dúvidas, eles também fazem parte de nós. Seu caminho como mãe não terá apenas céu azul, e ele deve ser trilhado por você, só por você.

Hoje, uso o tempo que me sobra para coisas leves e não para cobranças desnecessárias. Minha prioridade é cuidar dos meus filhos, não das expectativas dos outros.

Uma escuta diferente

Em algumas situações, só nosso instinto salva.

O filho nasce e a gente logo vê que a teoria não resolve todos os nossos problemas. Mesmo assim, insistimos. Afinal, como as autoridades do mundo hospitalar poderiam estar erradas? Não estou criticando os profissionais da área, até porque eles podem ajudar muito. Até eles sabem que o instinto materno salva.

Dei de cara com ele no segundo dia de vida do meu filho. Era recém-mãe e tentava amamentar meu bebê. Ele não conseguia fazer a pegada. Várias enfermeiras à nossa volta, meu peito parecendo uma bola de futebol bem cheia, brilhava. Doía de tanto leite. Meu filho chorando de tanta fome. Ele não conseguia pegar e esgoelava. Eu suava e sentia muita dor de cabeça. Peito cheio, quente e duro. Prestes a explodir.

As vozes das enfermeiras ocupavam o quarto todo: "Coloca sentado, vai ser melhor", "segura mais para baixo", "assim não", "é desse jeito".

Aos poucos, os sons foram ficando distantes e comecei a ouvir outra voz. Ela não era minha, mas estava dentro de mim: "Fica sozinha com seu filho! Peça, por favor, para todos saírem". Foi o que eu fiz.

A sós com meu bebê, parei e olhei a situação. Ele não conseguia fazer a pegada porque o peito estava muito cheio. Fui ao banheiro e puxei o bico para que ele ficasse um pouco maior. Lavei meu rosto, olhei no espelho. Vi o medo que eu tinha de não conseguir amamentar. Encontrei um pouco de coragem e voltei. Com calma e sem ninguém por perto, puxei o bico de novo e pressionei a parte de cima da aréola. Pressionei de novo e mais uma vez. Tentamos algumas vezes, até que ele mamou!

Ele mamou e eu chorei.

Que voz era aquela? Intuição, instinto, a mãe natureza? Não importa. Foi tão bom ouvi-la no meio daquela confusão. Foi tão bom ter ido encontrá-la. Hoje sei, ela aparece nas horas mais difíceis. Ela não te deixa sozinha. Ela te dá confiança em si mesma.

Para ouvi-la, é simples: feche os ouvidos e abra o coração.

Cadê a receita?

Filho não é bolo, nem risoto ou torta, nem nada parecido.

Para cada mulher, há experiências diferentes de maternidade. Nós somos diferentes, por que nossas maternidades não o seriam?

Afinal, o que é certo e o que é errado? Antes da maternidade, eu era perfeccionista e ficava atenta aos mínimos detalhes de tudo. Antes. A maternidade foi um salto que mudou todos os meus conceitos. Na gravidez do meu primeiro filho, achava que tudo se resolveria com bons livros e boa organização. Então meu filho nasceu e me ensinou que as coisas não são bem assim.

Eu estreei com cesárea. Matheus não queria o berço e eu insistia. Thomás logo que chegou em casa já dormiu ao lado da minha cama. Sou fonoaudióloga. Matheus chupou chupeta e Thomás chupou o dedo. Mamaram no peito até os seis meses e depois, peito e mamadeira. Peito até um ano. Mamadeira até uns quatro ou cinco anos. Já disse que sou fonoaudióloga?

Matheus não queria saber de fruta, Thomás idem. Comiam papinha de fruta industrializada. Com Matheus não trabalhei, com Thomás já estava trabalhando. Com Matheus não tive ajuda em casa, com Thomás, tive. Contra os livros, ninei os dois. E depois de incansáveis tentativas de fazê-los dormir no berço, enfim os deixei, vez ou outra, dormir na minha cama.

Algumas coisas eu consegui realizar conforme eu esperava, outras simplesmente não funcionaram para nós. Eu ficava ali, confusa, perambulando entre as regras. Ia me tornando, por necessidade, mais e mais flexível. Até finalmente aceitar, na marra, que o "errado" pode ser exatamente o que eu e meus filhos precisamos. Pode ser o que faz sentido para nós.

Hoje, as coisas "certas" e "erradas" se misturam, se entrelaçam umas nas outras e se abraçam em minha mente. Elas fizeram as pazes e, agora, andam juntas.

Certo ou errado? Isso não existe.

Existe o que funciona para cada uma de nós.

Preparada para lutar?

CAMILA ZANELLA

Ser mãe é amor e luta desde o princípio. Algumas lutam para conseguir engravidar, outras lutam contra a gravidez a ponto de ingerir drogas mensais que põem em risco a própria saúde. Quando grávidas, lutamos às vezes para manter a saúde mental, contra depressão gestacional, o patriarcado, o abandono, os padrões sociais e estéticos que nos excluem dos padrões aceitáveis, desejáveis, femininos. Lutamos para nos reconhecer no novo corpo, com um novo ser. Lutamos para seguir com as demandas normais da vida, mesmo quando somos dois seres. Muitas vezes não há consideração com nosso momento. Lutamos para parir. Lutamos pelos nossos direitos durante o parto hospitalar, para que não haja procedimentos desnecessários, tentamos contornar a violência obstétrica. Se quisermos um parto domiciliar (como sempre foi, como nossos avós nasceram, talvez nossas mães), lutaremos contra o pensamento da medicalização instaurado pelos interesses capitalistas.

Depois que nasce, lutaremos para digerir as frustrações do parto, para aprender a lidar com esse ser, para conhecer a nova vida que teremos. Lutaremos contra os medos e contra o patriarcado que nos sobrecarrega diariamente. Lutaremos para dar conta das demandas dos filhos, da casa, da sociedade. Precisamos lutar também para ter vida pessoal e profissional.

É luta: amamentar, fazer arrotar, trocar fraldas, dar banho, fazer dormir. E além disso conseguir dormir, escovar os dentes, tomar banho, comer, fazer cocô, xixi, trabalhar, sair, beber água, estudar, socializar, namorar. E de repente o peito já esta cheio de novo e tudo recomeça. O dia acaba. A noite começa. E o ciclo continua madrugada adentro.

Carta para uma grávida

Está prestes a parir? Meu conselho: relaxe e aproveite!

Parece loucura? É a mais pura verdade. Tudo, absolutamente tudo, vai passar e ficar para trás. Dificuldade de amamentar? Você vai dar um jeito. As cólicas que parecem nunca ter fim duram apenas três meses. Até as madrugadas cuidando de um bebê têm data de expiração. O ninar dilui com o passar dos anos. Eles não vão nem querer dormir na sua cama, nem chupar chupeta e muito menos tomar mamadeira com quinze anos, pode apostar.

Não vão querer que você dê comida na boca deles, andando pela casa, com cinco, nem dormir agarradinho e te encher de beijinhos com nove. Tudo passa. Até o cheirinho de leite que eles têm na boquinha sem dente. O som delicioso do balbucio e os pés de bisnaguinha. Tudo se transforma.

Os anos dão conta de modificar tudo. No choro, na cólica, parece uma eternidade, eu sei. Mas, quando passar, você provavelmente vai ficar com saudade.

Quer dizer então que você não tem direito de sentir cansaço? Quer dizer que além de dar conta de tudo, você ainda tem que curtir e aproveitar o tempo todo? Claro que não! É cansativo mesmo. Ser mãe é o maior exercício de doação que um ser humano é capaz de realizar. Só não seja tão dura consigo mesma. Somos mães mais felizes quando aprendemos a ser mais maleáveis. As regras, muitas vezes, acabam tirando a gente da curtição e alimentam o estresse e a culpa.

Quando você estiver exausta na madrugada, acudindo o choro do seu filho, lembre-se: tudo vai passar. E vai passar mais rápido do que você imagina. Relaxe e aproveite. Não esqueça: você vai sentir saudade.

quando ela chega

Nascimento

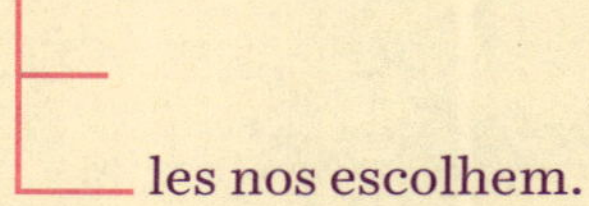

les nos escolhem.
Habitam nosso útero
Quente e seguro.
De repente, vêm ao mundo.
Tomam o maior susto.
Do conforto da água quente
Para a dor do ar frio.
A respiração como o primeiro sentido.
Um sopro
Muito choro
Até algo fazer sentido
Voz
Colo
Calor
Aconchego
Amor.

Em construção...

Tem gente que diz que o amor de mãe chega forte e arrebatador no dia do nascimento do filho. Eu não acredito. Acredito que o instinto nasce, sim, com a chegada do bebê. O amor de mãe, porém, é uma construção.

No começo, é confuso. Tentamos encontrar o nosso lugar e nos adaptar a um papel novo. Muitos sentimentos misturados, muita mudança. Ficamos ali, perdidas, procurando aquele amor surreal de que nos falaram, tentando lidar com tantas sensações novas.

Sabe o que eu acho? Acho que Deus nos entrega esse amor em doses homeopáticas para o nosso corpo se acostumar aos poucos. Se desse tudo de uma vez, não conseguiríamos assimilar.

Existe uma pequena dose desse tão falado amor de mãe em cada detalhe. Em cada cantinho vem guardado um pouco dele para somar. É mais ou menos como costurar uma colcha de retalhos bem pequenininhos.

Tem amor escondido nas dobrinhas que vão se formando no corpinho daquele recém-nascido frágil. Tem amor no primeiro sorriso e no balbucio. Se você procurar, vai encontrar amor nas olheiras e na flacidez que a gravidez deixa na barriga. Tem um pouquinho de amor na tensão de dar o primeiro banho, assim como no momento em que você já dá o banho com tranquilidade. Tem amor entranhado nos braços cansados de tanto carregar no colo e também nas dores nas costas. Tem amor escondido na primeira troca de fralda, assim como em quando você já consegue trocar até no escuro da madrugada. O amor está ali quando você começa a entregar seu filho para o mundo e o deixa na escolinha. Tem um pouquinho de amor em cada palavra que sai da sua boca para educar e também na hora do cafuné no sofá. Tem amor no cansaço do fim do dia e até na falta de paciência.

E acredito que até depois que eles saem de casa e caminham com as próprias pernas encontraremos doses de amor escondidas pelos cantinhos.

O amor pelos meus filhos é grande, sim, mas acredito que ainda sou aprendiz desse que dizem ser o maior amor do mundo. Tenho muito para costurar. Coração de mãe não é formado somente por células, sangue, veias e artérias.

Ele também é feito de retalhos.

O assunto proibido

Antigamente, não se falava a fundo sobre pós-parto. Havia uma penumbra em torno do assunto. Antigamente? Há dez anos, quando fiz minha estreia na maternidade. Para mim, bastante tempo, para a humanidade, ontem.

Shhhhhh, olha o pós-parto aí, fala baixo!

Quando alguém falava sobre pós-parto, engolia as palavras. Falava bem baixinho para ele passar desapercebido. De onde vem esse medo? Justamente por ser tão difícil, não deveríamos estar dialogando sobre ele? Será que as próprias mães preferiam não falar? Ou não havia ambiente favorável para trocas sobre o assunto? Eu não conseguia entender.

Shhhhhh nada!

Tudo o que eu mais queria, desesperadamente, urgentemente, era falar sobre o assunto.

Por que não me falaram nada? Será que acharam que não era importante, para mim, saber que eu iria sangrar por um mês seguido? E que eu ia ter que usar absorventes que mais pareciam fraldas? Por que não me contaram do peito vazando tanto que os delicados absorventes de seios não dariam conta?

Você consegue imaginar a cena? Cesárea, pontos, dor, fralda descartável embaixo e fralda de pano em volta do sutiã, para não molhar a cama toda. Sem falar nas conchas para o peito não ficar muito cheio e conseguir fazer o bico. Ah, e tinha a cinta! Chega a ser hilário, vai? E ninguém me falou sobre isso. Esqueceram esses "detalhes".

Não podiam pelo menos ter falado da sensação de tristeza que chega chegando? Dessa tristeza que vem justamente quando, segundo disseram, eu sentiria a maior felicidade do mundo, não podiam ter falado? E do cansaço que me faria, hora ou outra, perder a paciência com o meu bebê? Se tivessem me contado, será que ajudaria a fazer com que eu não me sentisse tão incrivelmente culpada?

Será que alguém, pelo amor de Deus, poderia dizer para nós e para nossos parceiros que é absolutamente normal a mulher não conseguir nem pensar em sexo mesmo depois da quarentena? O que acontece, pessoal? Por que escondem isso da gente? É um crime! Eu ficava ali entre as minhas lágrimas, meus medos, minha culpa e meu cansaço. Revoltada com a falta de sensibilidade da humanidade.

Devíamos gritar aos quatro ventos sobre como é doloroso e difícil esse começo de maternidade! Sim, gritar!

Só de escutar que é normal ter uma tristeza (*maternity blues*) que não vai embora depois que o bebê nasce, já nos acalma. Ler que o amor pelo filho pode não ser forte e arrebatador logo que ele nasce, diminui nossa culpa. Ouvir o quanto é normal estarmos frágeis e precisando de apoio nessa época, conforta. Ler que amamentar pode ser muito dolorido e difícil no início, alivia. Escutar que é normal sentirmos falta da nossa liberdade, tranquiliza. Ler que as noites em claro talvez nos levem ao ponto máximo da exaustão, tira um peso enorme dos ombros.

Não vamos deixar de passar por nada disso se escutarmos e lermos sobre o assunto. Mas o coração tranquiliza e a alma agradece. É ser entendida. É não estar sozinha. É como um abraço. É ter o direito de sentir inteiramente e intensamente as emoções que nascem dentro da gente. O sofrimento não vem nos sentimentos negativos que a maternidade traz, mas sim no esforço constante de negá-los ou não aceitá-los. Ficar triste, ter medos e dúvidas fazem parte da experiência.

Hoje em dia, temos até uma palavra que define essa fase com data certa para começar, mas não para acabar: puerpério.

Vamos iluminar as penumbras que ainda existem por aí?

Puerpério

Depois que ele nasce, ela fica ali. O útero vazio. O coração apertado. O peito cheio de leite. Todo mundo em cima do bebê e ela ali, de resguardo. Resguardo? Até parece! O puerpério é puro agito, emoção, sentimentos à flor da pele. O bebê está perto, mas não está dentro. É uma delícia ver nascer, mas até entender... é um processo. Vem a descarga de hormônios. Vem o choro. Sangramento por quarenta dias. Medo. Dor. Ter que dar de mamar. Cansaço.

Acabaram as regalias! O bebê nasceu. Você é mãe, ué. Todo mundo espera algo da mãe. Enquanto ela se recupera. O bebê mamou? Dormiu? Tomou banho? Todo mundo olhando para ele. E ela ali, à mercê. A mãe comeu? Dormiu? Ninguém quer saber do banho dela, do conforto. Lembra da gravidez? Da preocupação que tinham? Agora, é tudo sobre o bebê.

E ela ali, lidando com o que tinha dentro, agora do lado de fora.

O coração que batia dentro, batendo fora, com vida própria.

A vida dele, dizem, depende dela. Mas e a vida dela? A delicadeza é perceber que o bebê precisa de cuidados, claro. Mas é a mãe quem precisa de atenção, carinho, depois de tanta transformação, espinhos. Atenção não é só “oi, tudo bem?”. É afago, olhar cuidadoso, conversa sincera. Mulher no puerpério precisa de abraço. Do seu abraço. Precisa de abrigo.

Você é o parceiro? A irmã, o irmão? A mãe, o pai, a sogra, o sogro? Vizinha? Amiga? Doutor? Não importa. Acolha.

O bebê está para ela, assim como ela está para você.

Ela também acabou de nascer.

Universo particular

Ao mesmo tempo que a maternidade é universal, ela é também singular.

Me arrisco a dizer que é mais particular do que as nossas próprias calcinhas e a escova de dente. Não. É muito mais do que isso. É mais particular do que nós mesmas.

Ela mora em um espaço intocado. Fica tão dentro que esquenta com o calor do nosso coração. O lugar é tão interno, tão nosso que assusta.

No início é tanta insegurança que a gente até tenta trazer alguém ali para dentro. Acreditamos que sozinhas não conseguiremos dar conta de todo aquele auê. A gente troca os pés pelas mãos, e acredita que ali cabe mais alguém.

Mas a verdade é que a gente pode e deve receber ajuda, abraço, carinho, conversa. Deve se unir e compartilhar os sentimentos com outras mães. O pai deve participar. Mas descobrimos que ninguém cabe naquele cantinho perto do coração. É solitário? Sim. Mas é só percebendo e enfrentando isso que seremos mães de fato.

Ali só cabe você. Ali moram suas escolhas, seus medos, seus sonhos e pesadelos que vêm em decorrência de ter um filho. Ali cabe o jeito que só você sabe segurá-lo. Ali mora a culpa que você sente por perder a paciência e o primeiro eu te amo dito pelo seu filho. Ali cabem flashes das madrugadas, e a primeira febre. Ali mora a sensação de sentir a textura da pele do seu filho quando era bebê. É ali que mora o seu instinto.

É bem no meio, bem pequeno, mas muito profundo, e cabe tudo. Absolutamente tudo. Cabem coisas que você pode até compartilhar com alguém, mas que nunca farão o mesmo sentido que fazem para você. Cabe até o que você nem imaginava que morava ali.

Então um dia, quando você estiver sozinha dirigindo a caminho de casa vai perceber. Vai lembrar pela primeira vez daquele dia simples no parquinho que você balançava seu filho. Você vai lembrar da roupa que ele usava, do Sol esquentando vocês, do som da voz dele, das mãozinhas segurando o balanço, das sandalinhas que ele calçava e da mancha de papinha que tinha no body. Vai lembrar de como você se sentiu cansada, mas ao mesmo tempo abençoada naquele momento tão comum, mas que ficou registrado ali, bem dentro de você!

Colo

E essa história de "regular colo"? É uma das regras de maternidade mais absurdas. Eles estavam dentro por nove meses, lembra? Agora estão fora. E o fora mais próximo do dentro é o colo.

Sim, é uma carga muito grande nesse início. Haja força nos braços!

A gente cansa, nessa fase de ser colo o tempo todo. Quase nunca temos as mãos livres. É uma delícia e uma angústia. Tanta coisa para resolver e as mãos ocupadas. Dá saudade da nossa liberdade de ir e vir. Mas quando eles estão nos nossos braços, todo o resto fica para depois.

Pouco sono, muita força nos braços, muita doação. A gente se queixa do peso, mas depois é exatamente dele que sentimos falta. As mãos vazias vão te incomodar um dia, acredite.

Hoje, tenho saudade deles no meu colo, do peso do corpinho deles sobre os meus braços ou sobre as minhas costas. Saudade de carregá-los para lá e para cá no *sling* ou no canguru. Saudade dos nossos corações bem perto, conversando. Quando estavam aqui no meu colo, eu sentia que podia protegê-los de tudo. Saudades disso. Agora estão soltos fazendo a vidinha deles por aí.

Regular colo? Nem pensar! Dei o colo que eles pediram e não me arrependo.

À medida que crescem, vão nos solicitando bem menos e por um simples motivo: demos colo no momento em que eles mais precisavam. Sentiram-se amados e seguros para os primeiros passos.

Por isso, agarre muito, fortaleça seus braços e a segurança do seu filho.

Assim, quando você for soltá-lo, ele já estará forte.

Onde a dor e a esperança se abraçam

ARIELLE NASCIMENTO

Há momentos em que o primeiro choro vem cedo, vem baixo, vem fraco. Na maioria das vezes vem urgente, imprevisível, tirando nosso chão de maneira atroz. Nem as lembrancinhas nem o enfeite de porta costumam estar prontos. Nem as fotos de gestante foram feitas, cadê o bebê que se esperava? Não está mais na barriga, não está no berço, não está no colo. Nem sempre é fácil o encontro prematuro com o bebê real: pequeno, enrugado, por vezes entubado, não acabado. Há o medo de segurar, de cuidar, mas não só isso. A eclosão prematura da vida traz também o medo da morte.

A respiração é funda. É rápida. A nossa e a do bebê. A experiência da UTI Neonatal (UTIN) é de multiplicidade. É onde a dor e a esperança se abraçam. É oscilação numa intensidade em que o corpo parece não aguentar. É ter que lidar com o avanço de seu bebê e com o óbito do bebê de outra mãe com quem você passou os últimos dias trocando forças. É lidar com a frustração do peso que não alcança, a sonda que volta, o exame que acusa. É ter fé e otimismo, mas ter que encarar tamanha fragilidade. A noite é longa dentro de uma casa com o berço vazio. O amanhecer vem junto com a procura daquele cheiro, daquele corpinho frágil, daquele olhar. Será que dormiu bem? Será que chorou? Será que alguém disse baixinho a ela que estava tudo bem?

A UTIN é uma experiência de espera, e é justamente essa espera que te amadurece, te transforma, te encoraja para que no meio desse caos interno (e externo) as mães assumam o seu papel imprescindível na recuperação de seus bebês. Ali, ainda com as dores do pós-parto, no difícil trajeto casa-hospital, essa mãe investe todo seu afeto, fazendo com que o recém-nascido tenha não apenas um nome, mas também voz, história e contorno para um corpo evidentemente frágil, mas cheio de desejo. Cheio de vida. Algo que começa com puro estranhamento e negação da situação, termina com uma mãe prematura aceitando o convite de si mesma a mergulhar nesse mar revolto, ao mesmo tempo que, movida pela esperança, rema com toda a sua força em direção ao seguro caminho de casa.

Maternidade sem culpa

"O parto tem que ser natural"? É porque eles não sabem como queríamos ter conseguido e não deu para ser! "Não existe não conseguir amamentar no peito"? É porque eles não sabem como tentamos até sangrar. "Não pode dar o peito deitada"? Eles certamente não conhecem nosso cansaço.

Parece que sempre estamos fazendo algo errado.

Algo diferente do que esperam de nós.

"Não pode deixar dormir na sua cama"? Não sabem quanto já tentamos fazer com que dormissem na cama deles. "Ninar no colo está fora de cogitação"? Eles não sabem o quanto tentamos fazer com que adormecessem dentro do berço.

Com o tempo, a gente aprende que ser mãe é instintivo e particular. A culpa só vai embora quando deixamos a maternidade fluir da maneira mais natural possível. Eu aprendi a ignorar pitacos e a rebater imposições. Precisamos nos defender de alguma forma. Precisamos ter orgulho da mãe que somos.

"Que absurdo chupar o dedo"? "Tem que deixar chorar no berço"? Eles falam como se fosse fácil ver um filho precisando de aconchego. "Não pode dar chupeta"? Eles não sabem como é difícil ser uma "chupeta humana" e não ter tempo nem de ir ao banheiro.

A sociedade julga as mães o tempo todo. E ainda fala que é coisa da nossa cabeça. Vamos comprar este pacote ou nos libertar e sermos mais leves? Pense comigo: existe alguém que pode saber, melhor do que você, o que é bom para o seu filho?

"Doce nem pensar"? Nunca foram crianças, só pode ser isso.

Ó céus, ó pai

Eles ficam um tanto quanto perdidos.

Tinham uma referência de paternidade e hoje é tudo diferente.

– *O que eu faço?*

Não é só sobre trocar fralda de madrugada. Não é só sobre falar eu te amo e dar beijinho. É mais, muito mais. Vocês podem e merecem mais, muito mais. Merecem deixar a paternidade invadir, emergir com toda a leveza e praticidade que lhes cabem.

– *Como posso ajudar?*

Ser pai não é oferecer ajuda, e sim entender que isso tudo também é demanda sua. Não é fazer um favor para a mãe, e sim compartilhar, dividir por alguém que é igualmente seu. É afinar a casca, deixar brotar. Permitir se emocionar, ter intimidade com quem você plantou no mundo. É estar presente de verdade e participar também das dores.

Estar junto ao seu filho nos momentos difíceis gera cumplicidade, é onde surge a certeza de que você dá conta, de que você é suficiente. Acolher em uma noite com febre alta. Conversar após uma frustração. Ser colo para o choro. Falar sobre todas as questões. É entender que amamentar e parir são as únicas coisas que você não pode dividir. Permita-se todo o resto, coloque para fora!

– *Por onde começo?*

Entregue-se e algo incrível acontecerá.

Amamentar: do sonho à realidade

SABRINA PEREIRA HOFFMANN

Tentamos de todas as maneiras. Por eles, por nós. Queremos sempre o melhor para os nossos filhos. Tiramos até a última gota, vamos ao banco de leite, tomamos chá, remédio um, dois, três tipos. Água, muita água, fazemos promessa, reza, benzedeira. Pesamos o bebê e ele continua a não ganhar peso. Como fazer quando você percebe que não tem o melhor alimento do mundo para dar ao seu filho? Que seu leite não é suficiente? A gente quer mesmo é que o nosso filho cresça. O gráfico na caderneta de vacinação tem quer ser verde. Ele precisa de alimento para se desenvolver. Foco em ganhar peso na balança (nessa altura, você já tem uma balança em casa). Mas não pode ser simplesmente o leite na mamadeira. Tem que ser no copinho, na seringa, na relactação. Tem mesmo? A gente tenta, mais uma vez, dar de um, de dois, de dez jeitos. Faz outra promessa e agradece quando ele toma uma mamadeira inteira. Mas você deu a mamadeira com baixo fluxo, né? Aquela que imita o seio? E a gente tenta, como sempre, afinal, queremos o melhor para eles.

Tentar: palavra que mais usei nos últimos meses. Eu tentei, e muito, amamentar exclusivamente minha filha. Não deu, eu não tive leite suficiente. Ela perdeu peso e eu chorei horrores. Eu tentei aumentar a produção do meu leite. Não deu, ela não mamava nem metade do que precisava. Eu tentei tirar leite e dar no copinho, não deu. Eu senti que podia afogá-la a qualquer momento. Tentei fazer relactação, não deu. Ela cansava e não sugava nada. Fui para a mamadeira, com meu leite e com um, dois tipos de fórmula. Com um, dois tipos de mamadeira, com dois tipos de bico de mamadeira. Hoje ela mama, na mamadeira, no seio, a fórmula, meu leite. Está crescendo e se desenvolvendo.

Parei de fazer promessas! Que sejamos menos julgadas e mais entendidas. Acredito que ninguém com o peito cheio de leite e filho crescendo e engordando sai de casa para comprar uma fórmula. Acredito que ninguém escolhe tirar o melhor alimento do mundo do seu filho. A gente escolhe o que é necessário, o que no momento é melhor para eles. E mesmo quando amamentação exclusiva não alimenta e temos que acabar usando leite de fórmula, na mamadeira com bico sem baixo fluxo, tudo o que fazemos é por amor e com amor, sempre!

Solidão

Eu jamais imaginei que a maternidade pudesse ser tão incrivelmente solitária. "Mas estarei a todo vapor cuidando do meu filho, como poderia me sentir só?".

Eu te falo: um filho leva anos para ser companhia e diálogo, e a gente só percebe isso no dia a dia. Nunca, em momento nenhum da minha vida, eu me senti tão sozinha. A tal mãe perfeita que nos vendem, aquela do manual que vem de brinde, presentinho da sociedade, tira nossa autonomia ao nos colocar sob a sombra de uma expectativa. Somos humanas, falíveis, temos todos os tipos de emoções. O manual cobra que sejamos "sagradas". O manual nos desampara. Exclui sentimentos latentes e isso dói.

O que realmente sentimos não está lá. A solidão não está no manual. Falar que não estamos plenas ou que temos medo? Isso não faz parte do *script*. Então, acabamos nos isolando e calar é uma bomba-relógio. Uma hora ou outra explode.

A parte mais difícil da maternidade não é passar noites sem dormir, ou o aperto que dá no peito quando os filhos estão doentes. Difícil mesmo é não ter com quem contar. Não ter um ombro pra chorar. Sentir-se só no meio da multidão. Quem cuida muito de alguém, precisa ser cuidada também. Simples assim. Sabe o que ajuda? Falar, abraçar, poder chorar.

Mas o grande manual da mãe perfeita e sagrada também vem de brinde para os homens, para nossas amigas, para nossa família, todo mundo recebe um exemplar. Se você tem alguém que é mãe por perto, é urgente: esqueça o manual. Pique em mil pedaços.

As mães também têm dias ruins. E, mesmo nesses dias, têm que cuidar, educar e orientar os filhos. E aí está a parte mais dura: cuidar de alguém, sem estar bem. Nessas horas, a participação efetiva do pai alegra. Ter amigas confidentes para desabafar, conforta. Ter conhecidos com interesse em ajudar, alivia. Receber carinho e palavras de consolo, acalma. Participar de uma rede de apoio, fortalece.

Não deixe o tempo passar. Aprofunde-se, dê valor ao que ela sente, crie conexão. Ouça o que ela tem a dizer. Tirar a mãe do *set* da maternidade pode ajudá-la a descansar e organizar as ideias.

Onde você se encontra nesse ciclo de afeto e gentileza?

É obrigatório amamentar?

Incentivo demais a amamentação. Eu mesma amamentei durante um pouco mais de um ano meus dois filhos. Foi incrível para mim. Mas eu tive muita dificuldade no começo. O bico machucava, ardia na hora que meu filho sugava. No fim, deu certo. Mas poderia não ter dado. E se eu não conseguisse? Era o fim do mundo?

Por isso, me preocupo com quem não consegue. E essa mãe faz o quê? Se culpa? Se sente a pior mãe do mundo? É muito duro não conseguir. Ainda mais com tantas campanhas e com o tanto que se fala sobre os benefícios da amamentação, "todo mundo consegue, se quiser", falam. E isso não é verdade. Aliás, é um absurdo.

Amamentar não é competição. Dói, sangra, abre uma ferida. Será que quem tentou até o limite não é a maior vitoriosa?

Como o assunto é muito polêmico, trouxe reforços: Winnicott, pediatra e psicanalista inglês que estudou o papel da mãe no funcionamento mental da criança, diz que embora a amamentação seja uma vivência muito importante tanto para a mãe quanto para o bebê, o sentimento de obrigação de amamentar – o convencimento ou a imposição dessa prática – pode trazer mais prejuízos do que benefícios. Claro!

A imposição gera conflito e ansiedade. Principalmente para quem não consegue amamentar – por razões internas ou externas, conscientes ou não. O mais importante para o bebê não é que alguém o alimente na hora que ele precisa, mas ser alimentado por quem ama fazer aquilo. Importa o amor.

Vamos acolher as mulheres que não conseguiram amamentar e as que estão enfrentando dificuldades? A amamentação deve, sim, ser primordialmente incentivada, mas não é a única forma de dar amor, alimentar e criar vínculo entre mãe e filho.

Em vez de abrirmos ainda mais a ferida, que tal sermos a palavra que cicatriza?

Direito de amamentar em público

MARIANA DU BOIS

Dia desses fui vítima do olhar indignado de uma senhora que sincronizava a negativa com a cabeça com um resmungo torto. Foi aí que me dei conta de que, certamente, meu peito estava escandalizando em lugar impróprio aos olhos daquela senhora. O curioso é que era só mirar no peito para avistar um bebê anexado nele.

Tal réplica flana em minha cabeça desde então, ela vai para senhoras e transeuntes num geral, que circulam no entorno de uma mãe que amamenta.

Vamos lá, me acompanhe.

Uma mulher que está amamentando em público conseguiu, digamos, se libertar do cárcere privado. Para isso, no entanto, teve que articular um plano com mi-nu-ci-o-sos pormenores para que sua fuga não promovesse um desastre. Portanto, uma mulher que amamenta em público é qual uma prisioneira audaciosa que se safou da clausura e que, provavelmente, não teve tempo de se pentear com decência, quiçá se maquiar.

Com sorte, teve a chance de fazer um xixi.

Se olhar de perto, vai notar que o buço ou as pernas, ou ambos, entre outras áreas de seu corpo no puerpério, estão carecendo de depilação. Com um ponto importante: mais cedo ou mais tarde, essa mulher retornará ao seu cativeiro. E o ritmo, lá no cativeiro, minha senhora, é puxado.

Ela não dorme uma noite inteira há meses porque amamenta o bebê.

Não toma café pra se manter acordada porque a cafeína irrita o bebê.

Não bebe álcool porque o álcool contamina o leite do bebê.

Não come chocolate porque o chocolate dá cólicas no bebê.

Não pode dar uma corridinha porque correr se-ca-o--lei-te-do-be-bê.

Serotonina dela tá vagando qual uma alma triste no limbo.

E o remedinho mais forte que tá liberado ela tomar é o paracetamol!

Mas, senhora, se acaso ainda assim tal imagem lhe causa transtorno, repare que, no caso, na frente do peito em foco, tem um bebê pendurado. E que, acredite você, chegou parido precisando mamar pra sobreviver!

Indecoroso é ter a regalia de suas necessidades fisiológicas atendidas, com êxito, a cada dois dias. Amamentação não harmoniza com indecência, minha gente.

O peito em questão tá bom não. O corpinho tá cansado, tá sem jeito.

O humor, tá feio.

E a libido... bom, essa tá pairando lá com a serotonina no limbo.

Onde mora a beleza das mães?

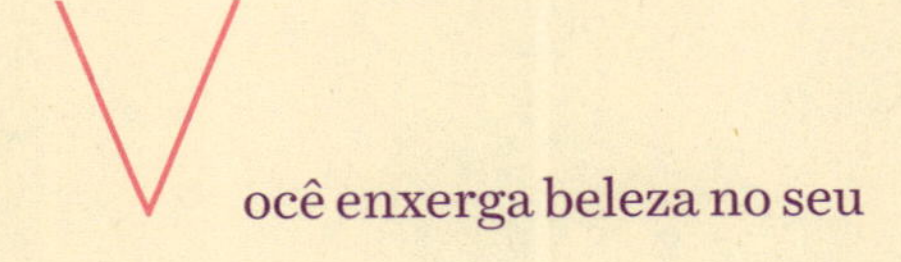

ocê enxerga beleza no seu maternar?

Não estou falando da mãe produzida e perfeita que a sociedade espera. Estou falando de você.

Você consegue ver beleza nas coisas que você faz, no caos do dia a dia? Não?

Olhe de novo. Com atenção e carinho. Procure nos detalhes. Essa beleza não tem pretensão, é natural. Nasceu com o bebê. É silenciosa, discreta e cheia de entrega. Alegra os olhos de quem observa. Não pede plateia.

Procure beleza no levantar, no meio da noite, só para cobrir os pezinhos do filho. O toque, o afeto, o sorriso descoberto. Olhe com atenção os gestos firmes, mas recheados de doçura. Há beleza lá. Procure nos detalhes de um sorriso encorajador, no "você vai ficar bem" ao deixar o filho pela primeira vez na escola.

A beleza mora nos momentos em que, mesmo sonadas, mantemos as mãos ali, acariciando a cria. Ela também está no aconchego que só o nosso colo tem, depois de um tombo, ou no momento do desconforto. O que dizer da beleza do parto? Existe algo mais poderoso e belo do que colocar alguém no mundo?

Eu achava que as mães tinham uma beleza esplêndida, até meio endeusada, estática. Não fazia ideia de que ser mãe carregava tantas ações. Hoje, é nesse lugar que eu encontro a beleza. No real, na exaustão. Em cima das olheiras. Onde nossos filhos encontram paz.

Big Bang

Quando um filho nasce, há uma explosão. Dentro da mãe. Quente, frio. Alegria, insegurança. Prazer, culpa. Energia, exaustão. Gargalhadas, birras. Sonho, cobrança. Vida intensa com os filhos, falta de tempo para nós mesmas. Como lidar com tanta coisa dentro da gente? Como lidar com um universo inteiro em expansão?

Podemos esconder os sentimentos difíceis. Definir a experiência pelas coisas boas. Mas não estaríamos nos enganando? Sendo infiéis à nossa própria experiência?

O bonito é o heterogêneo. A graça da maternidade não está na perfeição inalcançável, mas na explosão de sensações. Na expansão. Quem vive feliz o tempo todo? Ninguém evolui em um mar de rosas. A gente só cresce de verdade quando consegue chorar de alegria e também de tristeza.

Expandir dói, mas é bom para caramba.

Lar

MARLA LUDTKE

Que nosso lar tenha som de músicas sendo compostas. De vozes entoando canções. De instrumentos sendo tocados. Que nosso lar tenha som de histórias sendo lidas e poesias sendo escritas. De brincadeiras e diversão, de pique-esconde e de "achouuuu". De conversas, gargalhadas e de "bom dia". Que tenha som de comida gostosa e saudável fervendo na panela. Som de diálogos, de desabafos, de conselhos e de choros sendo consolados. O som do pedido de perdão. E que tenha até mesmo o som do silêncio, quando este for sinal de paciência. Que nosso lar tenha o som do carro do papai saudoso chegando do trabalho. De campainha anunciando a chegada de amigos. De casa cheia e de coração aquecido. Que tenha som de orações, de cultos e de agradecimentos. Que tenha som de família e de aconchego. Pra que quando nossos filhos forem grandes e estiverem longe, eles se lembrem de que a melhor música de suas vidas foi composta aqui.

Prioridades

O que é ser uma boa mãe para você? Veja bem, eu perguntei sobre você, e não sobre o que esperam de você. Precisamos separar: de um lado, o que esperam de nós, as expectativas; do outro, o que é relevante pra gente, o que realmente importa.

Sei como é estar soterrada pelas opiniões alheias. Sentir-se engessada. Exausta. Será que tudo precisa ser tão regrado? Dar de mamar e não colocar para arrotar uma vez seria mesmo loucura? Será que não estamos perdendo o principal?

Essencial, para mim, é você estar conectada ao seu filho. Entender as necessidades dele. Construir uma relação de afeto. Essencial é se deixar agir de acordo com o que você acredita. É se deixar ser dona da mãe que você é. Tudo o que vem depois disso pode esperar. Não se sobrecarregue. Não queira dar conta de tudo. Ninguém dá! Separe: que parte é supérflua e pode ser resolvida outro dia? Que parte é primordial?

O banho que esfrega até os cantinhos das orelhas do filho precisa ser todo dia? E os armários, tem que estar impecáveis? Separe: o que você precisa comprar hoje? O que pode ficar para a semana que vem? Seja honesta: pintar a parede rabiscada é para hoje? E o furinho na blusa? As refeições precisam ser mega saudáveis e balanceadas todos os dias?

Conecte-se com seu filho. O restante? Separe.

vivendo a nova realidade

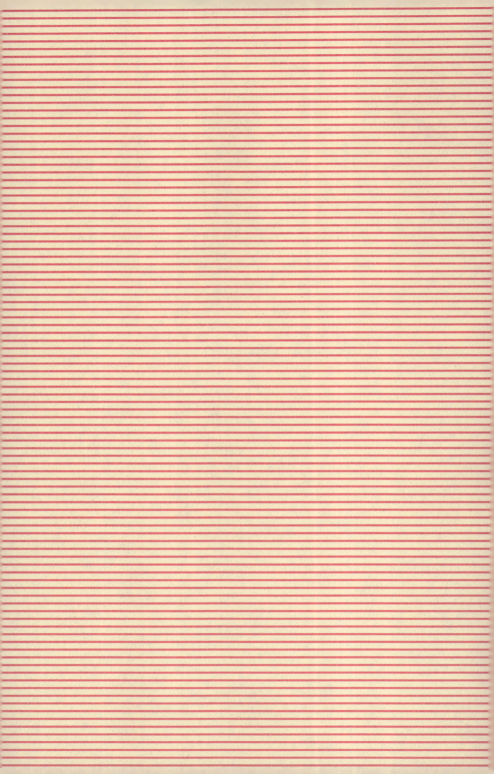

No mesmo barco

Não importa se você mora em Londres ou em uma ilha no Pacífico. Se você trabalha fora ou fica em casa. Se é católica ou espírita. Se é casada com o pai do seu filho, separada, ou se é mãe solo. Não importa se é mãe biológica ou adotiva. Tampouco sua classe social e a língua que você fala. Pode acreditar, nada disso importa. A maternidade é muito particular nas questões práticas, no caminho de criar e educar os filhos, mas na essência, no mais profundo dos sentimentos, somos todas iguais.

E é isso que nos une.

Não são as discussões sobre dar ou não chupeta, ou sobre quando dar comida sólida. Não é nada disso! O que nos une é o cansaço e o amor misturados. O que nos mantém abraçadas, mesmo que a milhas de distância, é o mesmo medo da finitude e o saudosismo quando vemos nossos filhos em fotos antigas. O que nos mantém ligadas é entender que, se buscarmos perfeição, vamos nos sentir culpadas. É percebermos que somos humanas e não super-heroínas, e que, mesmo com todos os nossos defeitos, somos as melhores mães que podemos ser.

O que nos conecta é a vontade de que uma fase passe logo por conta do cansaço, já sabendo que vamos sentir falta dela depois. O que nos une é compartilhar a opinião de que a teoria é uma coisa, a prática outra, e que o melhor caminho é seguir nosso instinto. A empatia entre nós vem da vontade de sumir de vez em quando, do choro no chuveiro e da alegria a cada conquista dos nossos filhos. O que faz com que a gente se sinta como velhas amigas, sem ao menos nos conhecermos, é saber que a maternidade nos transforma mais profundamente do que a metamorfose das borboletas.

Desculpas retroativas

RAFA BRITES

Em nome de quem eu era antes de ser mãe, quero me desculpar com você que cruzou meu caminho acompanhado de um bebê ou uma criança. Eu nunca te vi. Tirando o assento que é prioritário por lei, eu provavelmente nunca me ofereci para abrir o zíper da sua mochila e tirar um documento, nem peguei uma chupeta no chão para passar uma água quando caiu. Nunca segurei seu filho para você ir ao banheiro e almoçar, ou o entretive para você pedir uma informação ou falar com o garçom. Certamente, quando passei por você tentando colocar as mil sacolas e o carrinho no porta malas, o bebê chorando na cadeirinha, dei um sorriso meio solidário, sem graça. Numa dessas até soltei um "quer ajuda?", mas de fato não fui já ajudando. Para os mais íntimos, quando estava a caminho de suas casas, me perdoem por nunca perguntar se precisavam de algo da farmácia. E para aqueles que frequentam minha casa e me pediam para usar o microondas para esquentar uma papinha, descobri que a resposta que eu achava a mais bacana: "Lógico vai lá, a casa é sua", não era a melhor. Eu deveria ter te acompanhado e feito isso por você. Desculpe se alguém me mostrou fotos dos filhos, e eu logo mostrava meus cachorros. Se pegava na mão do seu bebê recém-nascido. Ou se te julguei por alguma escolha ou atitude em relação aos seus filhos. Mesmo que não tenha falado, posso ter pensado coisas como: Nossa, amamentou demais! Nossa, amamentou de menos! Coitada, largou a profissão. Ou credo, já voltou a trabalhar. E esse *iPad* na mesa? Mamadeira, chupeta, babá em festinha, comigo jamais.

Lendo isso parece até vindo de uma pessoa má. Mas te juro que não sou. Eu apenas não conseguia te ver. Não te sentia. E nem posso me culpar por isso. Eu achava que estava tudo sob controle por aí. Mas agora vejo que não. Tem horas que o caos impera. E se me cruzar por aí, aceite minha ajuda. Porque eu te pedirei ajuda também. Infelizmente não posso voltar no tempo para mudar todos esses momentos em que fui omissa, mas antes que eu chegue aos oitenta anos e não tenha nem mais tempo para consertar: alô, idosos, contem comigo!

Um novo corpo

Não dá para passar pela gravidez e maternidade e seguir com o mesmo corpo. É ingenuidade pensar assim. Mas o que é um corpo? Pele, pés, mãos, barriga, braços, pernas, vagina, cabelos, seios, bunda? Só isso? Não, o corpo é um mundo. É cérebro, sentimento, células em constante transformação. Como não mudaria na gestação?

A partir da fecundação, a mudança já começa. Tudo vai para o feto. É fato: a gravidez é um vulcão em erupção. Você está formando uma nova vida. O processo suga da gente. Vão-se as vitaminas e a energia. Lapsos de memória. Sentimentos misturados. É tão poderoso e profundo, nosso corpo trabalha como nunca trabalhou. E não é só o esticar da pele para as estrias aparecerem ou a retenção de líquido para a celulite dar as caras. Muda a respiração, a mente, o coração. Coisa que nenhum tratamento de beleza consegue reverter.

Quando a gravidez fica para trás e eles nascem, o vulcão continua ativo. Útero voltando ao seu tamanho, amamentação a todo vapor. Os cabelos? Caem. As unhas quebram. Emoção segue a milhão. Os órgãos tentam se acomodar, precisamos de paz para o novo corpo surgir e encontrar seu lugar. Sabe o amor de mãe de que tanto se fala? Não é só cuidar do filho, é entregar o corpo como abrigo.

Meu corpo mudou completamente. Tenho metade dos cabelos que eu tinha, barriga molenga, estrias, quadril mais largo, coxas mais grossas, as olheiras são minhas companheiras e de tanto carregá-los nos braços sou um pouco mais corcunda. Isso por fora. Por dentro, deixei a mudança ir mais fundo ainda, mais fundo do que os olhos podem enxergar. Foi gigante. Uma reviravolta interna. Novos desejos, novas lutas e a busca por quem eu realmente sou.

A maternidade me ofereceu a mudança e eu aceitei. Ainda sou eu, mas completamente outra. Ainda é o meu corpo, o corpo que me possibilitou passar pela transformação mais linda que existe. O mesmo. Outro.

Amigas que são mães

As amigas que não são mães que nos perdoem, mas é muito precioso ter amigas que vivem a mesma experiência que a gente. Por isso, além das amigas que não são mães, também precisamos de amigas que entendam nossos sentimentos por inteiro. Que dividam conosco suas vivências.

Atenção: quem você considera amiga acolhe você? De verdade? Amiga escuta, direciona, aconselha. Nunca julga. Em amizades dessas que nos acolhem mora grande parte da força para lidar com os desafios do dia a dia da maternidade. Os encontros são confortantes e quentinhos como um café. Afeto puro pelo reconhecimento na outra.

É necessário criar laços assim. Precisamos fortalecer e enraizar amizades baseadas na cumplicidade. Somos a luz no caminho umas das outras. Algumas coisas é muito mais fácil enxergar no outro do que em nós mesmas. Ter amigas cúmplices, além de nos confortar, é um grande aprendizado.

Estamos todas nessa grande, deliciosa e complicada aventura, afinal. A diferença é que algumas escondem e outras dividem a parte difícil, não é, amigas?

Exaustão

Quem disse que seria fácil? Ninguém disse. Mas também não disseram sobre o esgotamento. Ninguém fala a que ponto de exaustão podemos chegar. E me desculpem os adeptos da "maternidade cor de rosa". É realmente inexplicável: mal conseguimos definir onde a gente termina e eles começam. É bonito? Pra caramba. Mas leva tudo da gente: paciência, força, amor, energia, frescor. Doem as costas, dói a cabeça, dói o coração. Pesa.

Será que, se não chegássemos a este ponto, ainda assim estaríamos vivendo plenamente a experiência?

De repente, no pico do esgotamento, deitada na cama, ele vem:

– Mamãe, e se o mundo fosse diferente?

– Como assim, "diferente"?

– Se fosse diferente e eu tivesse outra mãe.

– Não sei, filho, como você acha que seria?

– Nossa! Eu ficaria tão triste com o mundo se eu tivesse outra mãe.

Por isso a gente dá um jeito e a vontade de doar brota. Brota dos poros? Sei lá. É sublime, mas esgota. Ninguém pode nos julgar. Você acha que pesa falar sobre isso? Não suaviza saber que é assim não só para você, mas para todas nós?

Vamos validar nossos sentimentos reais?

Sem filtro

Surra de fotos de famílias perfeitas com crianças felizes e sorridentes. Nariz escorrendo? Cara de mau humor? Dedo no nariz? Careta? Jamais. O sol brilha como nunca e a grama é sempre verdíssima. Não me entenda mal, não tenho nada contra fotos perfeitas. Muito pelo contrário: elas são um colírio para os olhos.

Nós, por outro lado, tentamos tirar uma mísera foto decente em quinze dias de férias e não conseguimos.

Nessas horas, as fotos com a grama verdíssima frustram porque parece que esses momentos nunca chegam para a gente. Tem sempre um que não quer sair na foto, outro de mau humor e a gente acaba desistindo dos cliques milimetricamente perfeitos.

Mas a foto registra apenas uma fração de segundo e, provavelmente, a foto publicada é a do segundo mais incrível do dia. Ao menos, é para parecer um momento incrível. Crianças rodopiando felizes. Mães maquiadas, vestidas com roupas sem manchas, de cabelos soltos e sedosos ao vento. Já falei da grama verdíssima?

A gente se olha no espelho enquanto os filhos se estapeiam e pensa: o que tenho feito de tão errado?

Frustra se a gente não conseguir enxergar além daquela foto. Daquele microrrecorte selecionado de um dia inteiro de acontecimentos, bons e ruins. Abraço pela manhã e confusão para almoçar. Beijinhos e malcriação na hora da lição. Sorrisos e tantos *nãos*. Mau humor, falta de cooperação. Choro e birra no meio do mercado. Nossa paciência e a ausência dela. Ânimo e cansaço. Estresse para conseguir colocá-los na cama e trocas de carinho antes do sono chegar.

Sei que a parte difícil não é nada gostosa, mas é inevitável e real. Por isso, ao tomar essa surra de perfeição, esteja certa: essas mães vivem exatamente o que você vive. Inclusive o choro que, de vez em quando, rola no chuveiro. Fotos congelam momentos e a vida real não se encontra nelas. Ela se encontra aqui e aí.

Longe das fotos perfeitas das redes sociais.

Sem poses nem filtros.

Mães especiais

Mães são seres de amor inesgotável e força sem limite. Mas as especiais não têm esse nome à toa. Elas arregaçam as mangas e vão atrás de respostas para as suas perguntas. Criança no braço e foco. Elas buscam a verdade mesmo com toda a dor que ela poderá causar. Porque nada é maior do que a vontade que elas têm de oferecer o melhor para seus filhos. Nada.

São especiais desde o choro sentido da descoberta. Ensinam pra gente com tudo o que elas têm que lidar quando recebem o diagnóstico. Fico com vontade de abraçar cada uma delas apertado nesse momento tão difícil, também por saber o que vão enfrentar nas próximas fases, antes da aceitação. É tão bonito presenciar quando, enfim, aceitam. Dá leveza a elas e aos filhos também.

Com o passar do tempo, o sorrir se reinventa. Essas mães são especiais porque mesmo com todas as dificuldades e desafios, elas têm o coração renovado e cheio de esperança a cada manhã. Sabem, como ninguém, viver intensamente. Um dia de cada vez. Comemoram pequenas conquistas que nós, mães de crianças ditas "normais", nem reparamos.

Quando elas menos esperam, já conseguem gargalhar e amar a nova realidade. Ensinam tanto pra gente porque, muitas vezes, terão os filhos dependentes delas a vida toda e seguem firmes. Algumas nem sabem se amanhã terão seus filhos para abraçar. E seguem firmes. Como não aprender com elas? Como não admirar? Como não se achar pequena, com medos e aflições bobas? Seus filhos são gratos por elas terem arregaçado as mangas: é só ver o sorriso deles quando olham para elas.

Será que elas sabem o quanto são especiais para nós também?

Eu preciso de ajuda, e você?

É preciso uma aldeia para criar uma criança, dizem os sábios africanos. Como achamos que podemos dar conta de tudo sozinhas? Eu mesma confesso que tentei. Com todas as minhas forças. Mas quer saber? Não vale a pena. Por mais que eu me esforçasse, nunca chegava onde eu queria. Estava sempre devendo. Ao menos, era o que eu sentia. Eu nadava contra a maré para tentar oferecer algo além do melhor de mim. Algo impossível.

Im-pos-sí-vel. É humanamente *impossível* você e o pai da criança darem conta de tudo. Quando a gente tenta, achando que pode, e não consegue, dá uma frustração imensa, eu sei. Quando for nadar contra essa maré, lembre-se: é preciso uma aldeia para criar uma criança. Uma aldeia.

Pense bem: chega a ser egoísmo achar que conseguiremos dar conta de *todas* as necessidades dos nossos filhos e de *todos* os estímulos necessários. Eles têm direito de se relacionar e aprender com outras pessoas!

Além disso, crianças são multiplicadoras de amor e símbolo de renovação e vida. O privilégio de conviver com elas não pode ser só dos pais. Para os pais, é muito mais leve e divertido quando se tem gente por perto. Compartilhar, poder contar com alguém, não é sinal de que você não cuida dos seus filhos, pelo contrário! Você proporciona a eles novas e múltiplas experiências.

O que seria da vida dos meus filhos sem as brincadeiras e gargalhadas com meu pai? Sem as histórias de *surf* da minha amiga? Sem o carinho e a relação que eles têm com a minha avó? Sem o paladar que estão desenvolvendo através das comidas deliciosas da minha mãe? Sem a relação de admiração com o amigo mais velho? Sem as risadas gostosas com a Maria, que me ajuda em casa? Sem os ensinamentos de respeito e dedicação que constroem com os professores de *taekwondo*?

Todos eles fazem parte da nossa aldeia.

Os pais são os grandes responsáveis pela educação, sim, mas todas as pessoas que convivem com eles podem e devem dar o que têm de bom: atenção, uma nova história, um exemplo importante, uma brincadeira que você ainda não conhecia, uma conversa sobre algo que você não vive, assuntos que nunca traria à tona. Vamos abrir as portas e os braços para receber quem quer dar uma mãozinha na criação dos nossos filhos?

Ajuda não é sinal de fraqueza, e sim de união e força.

Como está a sua aldeia?

Com amor, para a mãe solo

No meio do furacão do meu dia a dia de mãe, me pego pensando em você. Deve ser infinitamente mais pesado e mais solitário para você. Chego a ter vergonha de sentir cansaço. Me sinto até meio boba.

Penso em você, que engravidou sem querer. Como deve ser difícil lidar com isso. A família, a sociedade e muitas vezes até o pai do seu filho dizendo que você foi boba, que devia ter se prevenido. Todo mundo sabe o caminho de julgar, não é? Mas será que ninguém percebe que agora, exatamente agora, no meio de todo esse caos e falação, você gera uma vida?

Será que não passa pela cabeça de ninguém o quanto deve ser difícil trilhar, sozinha, essa estrada que apareceu de repente na sua frente? Uma estrada que vai mudar o rumo da sua vida para sempre.

Penso em você na sala de parto, sozinha, e sinto lágrimas pulando dos meus olhos. Penso em você dentro da sua casa com o seu filho fazendo birra e, em silêncio, faço uma oração. Penso no preconceito, na cara das mães "perfeitas" te olhando e tenho vontade de estar ao seu lado para poder te acolher e te defender. Penso nas horas que você está exausta e não pode dizer: "Vá resolver com o seu pai". Fico, daqui, mandado mentalmente força e energia.

Penso como deve ser difícil, para você, ver seu filho triste porque não conhece o pai, ou porque o pai quase nunca aparece. Não consigo nem imaginar a dor.

Então lembro daquele dia em que te vi na praia com o seu filho. Você me disse que era a primeira vez que ele via o mar, e me contou o quanto estava feliz de poder proporcionar aquele momento para ele. Lembro da alegria e da cumplicidade incrivelmente única entre vocês.

Afinal, são só vocês dois!

Abro um sorriso, tudo faz sentido.

Mãe solo, eu te admiro. Conte comigo!

De volta à superfície

Maternar é navegar em um mar de desafios: amor, insegurança, carinho, paciência, sono, irritação, sorrisos. Choro, felicidade e desespero. Eu já mergulhei bem fundo. Não sabia sequer quem eu era. Os meus assuntos eram somente os meus filhos. Fraldas, amamentação, onde eu deveria levá-los para passear, a alegria de ser mãe e a minha própria exaustão. Dia após dia, essa era a minha vida. Tudo bem, no puerpério esse mergulho é necessário. Mas precisamos voltar. Ficar mais perto da superfície. Respirar outros ares.

Mais do que saudável, é uma questão de sobrevivência. Ser mãe é parte das nossas vidas, e não nossa vida inteira.

Ser uma "Mãe Fora da Caixa", para mim, é buscar pelo equilíbrio.

Mãe Fora da Caixa. *S.f.* 1. Busca pelo equilíbrio.

É utópico, eu sei, mas nos direciona. Uma mãe fora da caixa se doa, mas também se olha. Vê leveza, mas pode falar do cansaço. Está presente na vida dos filhos, mas isso caminha em paralelo com sua própria identidade como mulher. Assim, fica mais difícil se perder nas profundezas da maternidade e não se encontrar mais. É difícil, eu sei, mas precisamos estar sempre buscando esse equilíbrio. Por nós e também pelos nossos filhos.

Se você continua mergulhada nesse mar, sem se importar consigo mesma ou com outras coisas e pessoas, não me entenda mal, eu mesma já estive aí. Pergunto: há quanto tempo você não sai para namorar? Há quanto tempo você não encontra velhos ou faz novos amigos? Esqueça a ideia de que é difícil fazer amigos nessa idade. Essa é uma grande bobagem! A vida se abre para quem está aberto a ela.

Aqui vai um convite. Segure a minha mão e venha, nem que seja por apenas alguns segundos, para a superfície. Antes da maternidade, o que fazia você sorrir? De quais músicas você gostava? De quais livros? Você praticava esportes? Quais eram os seus sonhos e vontades? Quais são seus sonhos *agora*? O que você pode fazer por você *agora*?

Será que você tem um tempinho para você?

Lembre-se: você não precisa escolher entre uma coisa e outra, entre você e seu filho. Escolha vocês. A beleza está em olhar o outro e se olhar também.

Desafogue. Respire.

E o relacionamento depois dos filhos?

RAFAELA CARVALHO

Ninguém se casa porque sonha em ter uma lista enorme de tarefas e obrigações. Casamos porque o coração pula pra fora do peito, gira em torno da terra e volta pra casa toda vez que os olhares se encontram. Casamos porque o toque dá frio na barriga, calafrio, sorriso no rosto. Pelo menos, um dia foi assim. Talvez ainda seja, só é preciso relembrar.

A verdade é que entre prender as crianças na cadeirinha, tirar os pratos da mesa e pagar as contas do mês, é fácil deixar o amor, principalmente o sexo de lado. Aviso desde já que eu não tenho uma história só de romance, sexo, e rock'n'roll para contar. Embora meu casamento tenha desses momentos, ele não é assim o tempo todo.

Casamento é como livro. Algumas páginas são marcadas por lágrimas que escorreram, brigas que rasuraram. Mas há também os parágrafos cheios de amor, destacados com marca texto, canetinha. Páginas que devem ser relidas de tempos em tempos, para lembrarmos o caminho que nos trouxe até aqui. E o sexo faz parte desse caminho. Veja bem, eu não sou a assanhada da turma, a taradona do bairro, e estou longe ser uma palestrante sobre o assunto. Assim como você, eu também estou exausta no fim do dia. E entre sexo e dormir, há grandes chances de que eu morra de amores pelo meu pijaminha velho de moletom. Mas a verdade é que um "sim" muda muita coisa.

Sexo tem um peso enorme na harmonia do lar. Algo inexplicável. Mudança mútua de humor, de perspectiva em relação aos problemas. Portas que se abrem para importantes discussões de relacionamento. Mais companheirismo, compreensão. Sexo muda a energia, equilibra aquilo que nem sequer sabíamos que estava fora de linha. Juras silenciosas, piadas internas, coisas de casal. É isso. São as coisas de casal. É isso que o sexo faz. Ele separa a bagagem. O maternar, a rotina, os deveres, o estresse. Sexo faz lembrar que começamos como um casal. Um casal que já se perdeu tantas vezes no caminho, mas que sempre escolheu se reencontrar. É o começo ou a celebração de cada um destes reencontros. Por isso ele é amor, por isso a importância, por isso vale a pena.

PERIGO: contém vida

Às vezes, tenho a impressão de que nós, mães e pais, vivemos em uma selva perigosíssima e lutamos com unhas e dentes para que nossos filhos sobrevivam. Selva? Sobreviver? Sim, é exatamente essa a minha sensação.

Todos os dias, centenas de artigos sobre o que não devemos dar para os nossos filhos comerem são escritos. E outras centenas sobre a necessidade de lavar as roupas novas das crianças antes de elas usarem, sobre a toxidade dos protetores solares e sobre o horário que nossos filhos devem ir para cama. Criança assistindo televisão e mexendo no *tablet*? Outra centena de artigos. Não pode gritar com eles. Dar beijo na boquinha não é higiênico. O ar das grandes cidades é um risco para a saúde das crianças.

Viver é perigoso, mas não como dizia Guimarães Rosa.

Parece que estamos sempre fazendo algo errado. Outro dia, li sobre "os malefícios das bolachas recheadas para a saúde". Gente, sério! Tudo tem limite. Nada contra pesquisadores e nem contra pesquisas, só acho que o bom senso é, de fato, a melhor coisa que existe nesse mundo. Muito obrigada pela preocupação dos pesquisadores e por cada uma de suas inúmeras descobertas, mas a vida de mãe é bem complexa. Já lidamos com culpa o suficiente, obrigada.

Além dos pesquisadores, temos que lidar com todas as crendices da sogra, da avó, da vizinha! "Coloca uma moeda no umbigo para não ficar raso", "coloca uma cebola cortada no quarto que acalma a tosse", e por aí vai. É uma chuva de "você devia fazer isso". Para quê serve? Para nos deixar mais exaustas? Afinal, quem não se cansaria em plena selva, tentando salvar os filhos de tudo o que pode matá-los?

Essa enxurrada de informações já não faz mais sentido para mim. Na época dos nossos avós não tinha nada disso e, mesmo assim, nossos pais sobreviveram, assim como nós.

Comi muita bolacha recheada.

Por isso, meus filhos vão assistir televisão e mexer no *tablet*. Sem excesso. Eles vão dormir tarde de vez em quando e comer bolacha recheada uma hora ou outra. Continuaremos com a programação normal de aplicação de protetor solar. Eles vão escutar alguns gritos, sim, porque eu sou humana. E, se tiverem vontade de usar uma blusa nova sem lavar, eu vou deixar. E vou continuar dando beijo na boquinha deles até não quererem mais. E eles continuarão respirando o ar de uma grande cidade, porque é onde moramos. Ponto.

Quando eu receber o mais novo artigo dizendo que algo não é bom para as crianças, vou filtrar e usar o velho bom senso. Saí dessa selva de informações porque decidi *viver* com os meus filhos. E não apenas sobreviver.

O tempo do acontecimento

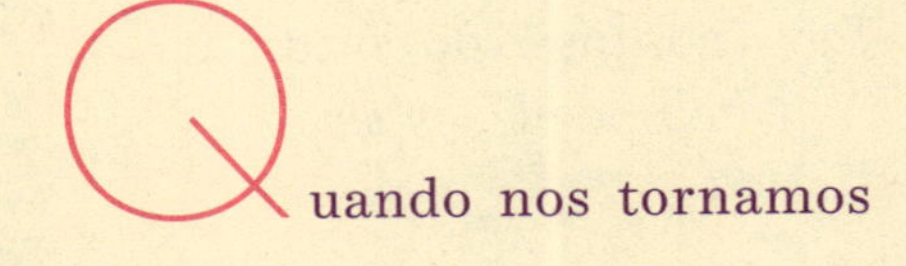

Quando nos tornamos mães, o tempo muda.

Ver a rapidez com que um filho cresce assusta. Não dá para esperar! Não existe melhor hora para viver o presente do que nesse exato momento.

O problema é que vivemos cada vez mais acelerados. Deixamos o que mais importa para depois. "Quando eu parar de trabalhar", "Quando eu mudar de cidade", "Quando eu me organizar", "No fim de semana", "Nossa, que correria!", "Minha vida está uma loucura". Será que achamos "legal" ter uma vida corrida? A gente está correndo do quê, mesmo? E os filhos, onde ficam nessa correria? Correndo atrás da gente para ter um pouquinho de atenção?

Pouco tempo, pouca paciência. Pouco tempo, muitos planos. Pouco tempo, muita ansiedade.

Sempre damos um jeitinho de colocar mais um item na nossa lista infinita de coisas a fazer. E quem disse que, no fim do dia, conseguimos realizar tudo o que planejamos? E com tantas coisas a serem ticadas da nossa lista, acabamos ansiosas e sem paciência com quem mais precisa de atenção: nossos filhos.

A primeira gargalhada não espera um dia que você não vai estar de mau humor. Os primeiros passinhos não serão exatamente na hora em que você não estiver no celular. O seu filho vindo te contar algo importante não vai acontecer, necessariamente, no fim de semana. Pode acontecer no olho do furacão, enquanto você resolve mais um item da sua lista.

A vida acontece nos dias bons e ruins. Ela não espera você estar com a sua lista em dia, nem com o melhor humor do mundo. Ela simplesmente acontece na maravilhosa confusão do cotidiano.

O tempo não espera.

"Seu filho já sabe andar?"

Sempre vai ter uma criança que vai andar mais rápido que a sua. Sempre vão ter bebês que dormem mais do que o seu. Assim como sempre vai ter a que vai falar bem antes. Também vai ter a que se alfabetizou um ano na frente. E a que tem habilidades esportivas incrivelmente desenvolvidas, enquanto seu filho não chuta nem uma bola direito.

Sabe o que também vai ter? Uma mãe para comparar.

Uma vizinha com a casa superorganizada, enquanto a sua parece um campo de guerra. Uma amiga que conta que faz sexo loucamente desde que acabou a quarentena, enquanto você não consegue nem lembrar que isso existe. E a mãe do colega, que vive impecável enquanto você não consegue nem se olhar no espelho.

Sabe também o que vai ter? Uma mãe para se vangloriar.

Mas o ponto não são elas. As mães que se comparam e se vangloriam sempre existiram e, infelizmente, acho que sempre vão existir. O ponto somos nós. Não podemos entrar no jogo delas. Porque acontece, e não é difícil. A comparação pode acabar nos pegando em um dia ruim. Chega como uma bomba e, muitas vezes, explode exatamente em cima do que nos preocupa, bem onde mora a nossa culpa.

Sabe o que podemos fazer para não cair neste tipo de cilada? Confiar no nosso instinto. Ter um médico de confiança para tirarmos nossas dúvidas. Aceitar que somos diferentes das outras mães, assim como nossos filhos são diferentes dos delas. Afinal, se nem dois irmãos de sangue são iguais no desenvolvimento, nas habilidades e, muitas vezes, nem na aparência, não seria loucura cair na armadilha da comparação?

O que seria comparar, senão deixar de compreender que somos todos diferentes e únicos?

Cabeça de mãe não para

A vitamina na hora do almoço. Ler um pouco para eles antes de dormir. *O que eu tenho feito por mim?* Colocar a blusa preferida do filho na máquina para dar tempo de secar e ele usar amanhã. Comprar calças novas porque o inverno está chegando. *Por que eles brigam tanto?* Passar hidratante no corpo deles e no meu depois do banho. Comprar o presente do aniversário do fim de semana. *Por onde andam minhas amigas da adolescência?* As frutas para o suco. Comprar massinha para deixar no consultório. Preciso arrumar alguém para consertar a descarga. Adicionar sabonete e pasta de dente na lista do mercado. Pensar no que fazer para o jantar. Não posso esquecer de alimentar a cachorra.

Cabeça de mãe não para. Por que será?

O maior desafio não é a lista do que deve ser feito, isso é moleza. Somente executar é fácil, camarada. Agora vai planejar, organizar, gerenciar e executar. Aí é que são elas! Pode ver que ninguém tem todos esses papéis dentro de uma empresa, sabe por quê? É humanamente impossível. Daria prejuízo. Pessoas ficam doentes em função do excesso de responsabilidade. Planejar e executar sem parar? Dá curto-circuito, a cabeça pifa.

Mas e nós mulheres? Não fazemos isso o tempo todo em casa? E nós que somos mães, então? Dizem que somos sobre-humanas, sabe por quê? É mais fácil dizer que somos extraordinárias, e nos responsabilizar pela casa e pelos filhos, do que dividir essa responsabilidade. Não caia nesse jogo, nessa armadilha cultural engessada. Você não precisa dar conta de tudo.

Com o tudo o que já fazemos, só ter que pedir para alguém fazer algo já é trabalhoso demais. Por isso, além da execução, o planejamento, a organização e o gerenciamento também precisam ser compartilhados. Precisamos dividir toda a responsabilidade e não ter, além de tudo, o trabalho de pedir para o nosso parceiro fazer algo que está ali, bem diante dos olhos de quem pode enxergar, mas muitas vezes não quer ver.

Há um gigantesco trabalho invisível e que gera sobrecarga. Precisamos apontar para ele com urgência. Só assim teremos uma vida mais equilibrada.

Reenconto

KASSIANE COSTA

Ontem, olhei no espelho e não me reconheci. Parei e olhei de novo, dessa vez com calma. Vi meu rosto cansado e me perguntei: desde quando aquela ruguinha está ali? E aqueles fios brancos? E essas olheiras? Há quanto tempo eu não olhava para mim de verdade? Então ali, parada, na frente do espelho do banheiro de um shopping, me permiti demorar mais alguns segundos antes de sair correndo para a vida real. Me permiti procurar a mulher que existe por trás da mãe. Foi um reencontro lindo.

Lembrei dos tempos de bom humor, de pele viçosa, de sono prolongado, de independência. Saí do banheiro ainda sentindo o gostinho desse passado tão recente e ao mesmo tempo tão distante. Confesso que, às vezes, chego a esquecer quem eu era. E aí dou de cara com meu "hoje", meu presente, meu melhor: meu filho e seu sorriso maior do mundo. Grita "ma-ma" para a praça de alimentação inteira ouvir. O coração enche de um amor que não dá pra explicar, que dói, que embriaga. Você já se sentiu como se fosse o mundo pra alguém? É assim que eu me sinto quando ele olha pra mim.

E, pensando em tudo isso, percebo que não posso esquecer a mulher que fui antes de ser mãe. Foi ela que me trouxe até aqui, que me proporcionou esse presente. Não posso simplesmente deixá-la pra trás bem na hora de comer o recheio do bolo. Não! Não seria justo com ela, não seria justo comigo, não seria justo com meu filho. Preciso dela aqui, ao meu lado, me ajudando a levar de forma mais leve a maternidade, me ajudando a rir nas horas que dá vontade, e a chorar, quando for preciso também. Preciso dela aqui, para me lembrar que existe uma mulher além da mãe, que está tudo bem em não dar conta de tudo, que está tudo bem em querer sumir às vezes, que está tudo bem em não ser perfeita. Ninguém é. Preciso dela aqui para lembrar de mim. Precisamos nos reencontrar com quem éramos para que possamos voltar a ser completas. Nossos filhos merecem nossa melhor versão e a melhor versão sempre é a sem cortes.

Eu entendo você

Entendo a sua sensação de acordar de madrugada e não conseguir mais dormir, preocupada com a maneira rude com que você pediu para seu filho escovar os dentes. Para mim, é fácil entender que você está esgotada e, por isso, louca para o seu bebê dormir. Mas quando ele adormece, em vez de colocá-lo no berço, você fica cheirando a cria como se fosse a última vez que a tivesse nos braços. Eu juro que entendo o aperto no peito que deu quando seu filho desmamou. Também entendo a saudade que você sentiu dele quando conseguiu, enfim, tirar um fim de semana para descansar sozinha. Entendo a sua angústia com a febre que não passa, mesmo com o pediatra tendo dito que é só uma virose. Sei como é difícil para você ver seu filho lidando com as dores do mundo. Juro que entendo sua vontade de sumir quando ninguém colabora. Entendo também a saudade que você sente da liberdade que tinha antes da maternidade. Para mim, é fácil compreender que, quando chega o fim do dia, você nunca acha que fez o suficiente. Entendo quando você se tranca no banheiro para ter cinco minutos de paz. E a importância de não poder faltar o beijo de boa-noite e um cheirinho no cangote. E por mais exausta que você esteja no fim do dia, sei a força que nasce com você a cada manhã. Juro que te entendo. Mesmo que você tenha experiências diferentes dessas. Sou mãe.

Um pai

MATHEUS PFAENDER

Desde a primeira consulta em que o médico coloca a gente pra escutar o coraçãozinho do bebê, descobri que sou uma manteiga derretida. Meus olhos não viram tantas lágrimas nem quando assisti *Um amor para recordar*. A cada novidade, na escolha do papel de parede do quarto ou quando ganhava um sapatinho, lá estavam as lágrimas de novo, acumulando nos meus olhos. Lia livros, *instablogs* e sites na internet sobre filhos e me apavorava. Meu Deus, como irei criar uma criança num mundo tão violento e impiedoso? Será que saberei educar com boa índole e conduta? E no meio das indagações, lá estava eu querendo chorar, dessa vez de desespero antecipado. Nessa hora, você deve estar pensando: "Ah! Mas esse drama todo deve ser porque você estava sensível em decorrência da gravidez". E eu te respondo, meio constrangido... que eu... sou... o pai.

A nossa sociedade estabeleceu que pai é insensível. Mas a questão da sensibilidade não é relacionada ao sexo, e sim à forma como ter um filho nos toca. É saber que aquele serzinho, que você fez, será seu dependente por alguns anos. É saber que nos cabe criá-lo da melhor maneira possível para torná-lo melhor do que nós. Isso é ter sensibilidade.

Hoje, nossa filha tem três anos e minha esposa trabalha viajando durante a semana. Fico sozinho com ela. Entre ser maquiado, tomar chazinho com as bonecas e fazer a trança da Elsa, tenho que vesti-la, fazer e dar comida, arrumar a casa, deixá-la no colégio. Tudo em tempo de chegar ao trabalho na hora. Então vêm as pessoas elogiarem: “Uau! Você é um paizão! Faz tudo isso sozinho”. Elogio sempre é bom. Mas cumprir com o meu papel de pai não deveria gerar elogios. Eu cuido da minha filha por amor a ela. E se outros pais não fazem, não sou eu que estou sendo um superpai, eles que estão equivocados. Colocamos os filhos no mundo, vamos trabalhar para que tenham o melhor exemplo em casa.

Mesmo quando chego acabado do trabalho, sento no chão da sala para brincar de lego. Espero que esses momentos marquem a vida dela para sempre. Nossa função de pai está muito além de plantar uma semente na barriga da mãe. Temos que regar, cuidar, podar. Ser o melhor agricultor para nossa plantação. Assim vamos gerar frutos dos quais nos orgulharemos.

De carne e osso

Eu tenho sangue nas veias, partes escuras, outras desconhecidas. Eu tenho memórias dos mais diversos formatos e tamanhos. Traumas e alegrias. Arrependimentos e certezas. Sonhos e conquistas. Frustrações e acertos. E, no meio disso tudo, bem no meio, lá dentro, com vinte e sete anos, gerei um novo ser. Tive uma vida não muito longa até chegar aqui. Não estou nem no meio do caminho (assim espero). E, de repente, quando me deparo com algo completamente novo, algo mais humano do que jamais experimentei na vida, esperam de mim uma maturidade que eu simplesmente não tenho. Esperam calma, sublimidade, serenidade, paciência, doação sem limite, doçura, sorrisos a toda hora. Felicidade plena.

E desculpa, mas não tenho isso.

Não na dosagem que esperam de mim. Esperam que eu controle o que não tem controle. Meu sentimentos, meu sangue quando ferve. Esperam que eu controle até a dor nas costas e nos braços. Esperam tudo isso enquanto o meu coração e minha mente vivem essa intensa missão. E eu não vou controlar, não consigo, não posso. Me faz mal.

Vou soltar, deixar fluir.

Vou doar, mas também me permitir cansar e chorar.

Vou educar, criar, dar amor e carinho, mas nos dias que as coisas saírem dos trilhos, vou me dar o direito de calar, ficar no meu canto. Vou querer estar com eles sempre por perto, mas, quando forem mal-educados, vou deixar invadir a vontade de sumir. Vou tentar conversar, explicar, mas quando não tiver colaboração, vou me permitir gritar, extravasar para ver se coloco a casa no lugar.

Vou tentar me lembrar do máximo de coisas que eu conseguir, mas quando eu esquecer do horário do remédio ou do livro que a professora pediu, não vou sofrer. Vou procurar me entender.

Ser uma boa mãe é também aceitar que somos humanas, de carne e osso.

Mães no mercado de trabalho

O mercado de trabalho não faz ideia do poder que as mães têm. Não tem noção das habilidades que adquirimos com a maternidade. Somos multifuncionais, rápidas e prontas para solucionar problemas. Compramos os ingredientes para o jantar enquanto combinamos do filho brincar na casa do amigo. Lembramos de dar a vacina já pensando nos e-mails que temos para mandar. Damos banho nas crianças enquanto perguntamos como foi a aula enquanto lembramos de regar as plantas enquanto nos damos conta de que os azulejos do banheiro estão sujos.

A gente passa dia após dia planejando, organizando, executando e gerenciando.

E o mercado de trabalho faz o que com a gente? Exclui.

A preferência é clara para a contratação de quem não é mãe. Concluem que mães faltarão mais e terão menos empenho. Oi? Preconceito.

E os pais? Também não deveriam ser olhados com cuidado a fim de que participem mais da vida dos filhos?

Mulheres preferem não contar que tem filho na entrevista de emprego para não perderem oportunidades, claro. O mercado de trabalho só vai nos respeitar, porém, quando escancararmos a verdade: temos demandas específicas, mas também temos muita competência. O mercado precisa arrumar uma maneira de nos entender e acolher. Algumas empresas têm se ajustado e tentado melhorar essa questão, mas são poucas. Ainda temos muito chão para caminhar.

Empreendedorismo? Muitas mulheres procuram empreender em função do mercado de trabalho não acolhê-las. Legal para quem pode arriscar e esperar pelo lucro. Mas e as que não podem ou não conseguem ser empreendedoras, fazem o quê? Empreender deve ser uma escolha e não a única alternativa.

Temos que lutar. Lutar para que as nossas meninas não precisem decidir entre a carreira e a maternidade, e para que nossos meninos possam ser, além de ótimos profissionais, pais altamente participativos.

A doçura do seu olhar

ÁGATHA BIGARAN

Vem aqui em casa hoje a tarde para tomarmos um café? Vou sair mais cedo do trabalho, passo na padaria, pego a fornada das cinco de pão quentinho e faço o cafezinho do jeito que você me ensinou: três colheres de pó mais cinco de açúcar e a medida que já está marcadinha na caneca de alumínio. Eu coloco a mesa enquanto a gente conversa e você tenta me explicar um pouco sobre esse mistério que é ser mãe. Estou precisando muito saber como se faz pra ser uma mãe incrível como você. Preciso saber como foi dar conta de duas meninas, como era ter que lavar fraldas de pano, correr para o orelhão e ligar para o pai caso uma das duas tivesse uma febre inesperada no meio do dia. Como era sair comigo de ônibus e ir pra casa da vó (porque eu mal coloco a neném na cadeirinha do carro e ela já abre o berreiro) e como você fazia para preparar o almoço e o jantar comigo, se não tinha a Galinha Pintadinha. Queria saber como foi nosso primeiro dia, quando chegamos da maternidade, se eu dormia bem. Porque você não imagina o perrengue que eu passo com a sua neta, mãe, ela simplesmente não dorme.

Eu preciso, preciso muito que você me ensine como criar um ser humano livre de preconceitos e que ame a Deus sobre todas as coisas, que seja gentil, tenha coragem e que tenha um bom coração. Eu sei que você vai ter os conselhos certos, que vamos rir das histórias da minha infância e comparar com as de agora, da minha bebê que, aliás, tem os seus olhos, já reparou? Tem horas que ela me olha e enxergo a doçura do seu olhar, é mágico!

Sério, mãe, estou precisando muito ouvir o que você tem pra me ensinar, porque hoje acordei me sentindo a mãe mais incapaz do mundo, estou fazendo tudo errado, acho que não vou conseguir. Você deve ter as repostas que eu tanto procuro para amenizar meu sentimento de culpa. E, pelo que te conheço, você nem vai precisar dizer muita coisa, apenas um abraço e segurar uma das minhas mãos enquanto leva a xícara de café até a boca com a outra e sorri com os olhos, querendo me dizer: “vai dar tudo certo”. Então está combinado! Beijos, até à tarde.

Para minha mãe Maria Sibele Amorim Baptistão (*in memoriam*)

Contradições

Mãe tem que saber segurar e soltar. Agradar e brigar. Ser firme e ser doce. Ser a mãe mais legal do mundo e a mais chata também. Tem que saber a hora de dar e a de chamar a atenção. Falar com calma e com firmeza. Ser a cara boa da aprovação e a cara ruim da desaprovação. Saber o momento de afrouxar e o de apertar. A hora de ouvir e a de ignorar. Ser o melhor conforto e tirá-los da zona de conforto. Ser morada – o "abraço casa" – mas também dar asas e força para eles voarem alto e longe. Ser o olhar da segurança mesmo quando, por dentro, estamos mais inseguras do que eles. Mãe tem que focar em acertar mas se permitir errar. Tem que ter energia, mas aceitar que muitas vezes ela acaba. Tem que sentir a culpa, mas saber afastá-la. E quando não souber o que fazer, deixar o instinto aparecer. Ser mãe não é fácil como contam por aí, mas é o que é, e a gente tem que ser, mesmo sem saber.

Volta ao trabalho

SUSANA OROCO

Fico sem inspiração justamente quando um turbilhão de emoções se forma dentro de mim. Tenho sentido apenas. Sinto falta dos nossos momentos de papinha, de desenhos, de dancinhas, de cantoria. Das risadas constantes, de tirar fotos, de acalmar seu choro, de te fazer dormir. Você se tornou meu parceirinho e interage tanto comigo que parece que já nos conhecemos e estamos juntos há muito tempo. E, se for ver, estamos mesmo, não é? A gente se conhece bem antes de você dar a sua graça ao mundo. A gente já batia altos papos antes mesmo de todos sentirem você chutar. Quando nasceu, foram sete meses convivendo vinte e quatro horas por dia. Hoje te vejo imensamente menos. Muito menos que a metade dessas horas. "É bom ficar distante um do outro um pouco", as pessoas dizem. "A qualidade tem que superar a quantidade", era o meu conselho para as amigas mães que trabalhavam fora. Mas o que fazer quando o próprio conselho não faz o menor sentido?

É por etapas. O choro de hoje não será o mesmo de amanhã. Dias melhores, dias piores, depois melhores de novo. Há o choro inconsolável, o contido, o chateado, o ameno. Chorona como sou, não poderia ser diferente. Sinto sua falta em doses homeopáticas porque senti-la toda, ao mesmo tempo, ia judiar demais do coração. Você também teve seu momento de sentir falta e de adaptação às mudanças. Seu corpinho, ainda tão pequeno e frágil, também pediu por socorro em vários momentos.

Mas estamos cada vez mais fortes com tudo isso. Cada pedacinho meu emana, constantemente, energias boas para você. Sei que outras pessoas também podem cuidar bem de você, mas, para garantir, fiz um trato com o céu, desde que você era apenas um embrioãozinho em meu ventre. É com esse trato que meu coração se consola. As sextas-feiras já eram alegres, agora elas têm um sabor todo especial. 18h30, anuncia o relógio: o expediente acabou e já estou chegando. Me abraça forte: por você, por mim e por todo o amor que ficou transbordando no meu peito o dia todo.

Como ser filha sendo mãe?

Quando o bebê nasce, nascemos como mães e nossos pais nascem como avós. Esse ciclo da vida é lindo, porém complicado.

Tudo fica misturado, alguns sentimentos tentam encontrar um cantinho como filha e, outros, como mãe. Para os nossos pais deve ser igualmente confuso. Percebo que eles não nascem como avós, eles renascem, afinal, já cuidaram de nós. Tornar-se vó ou vô tem uma conotação suave, o frescor de uma manhã de outono. O descompromisso de quem já teve que ser a voz da educação e agora pode ser só gargalhada. Leveza de quem quer deixar alegrias e bons momentos na memória dos netos. Sabedoria de quem entende que a vida passa rápido, e que qualquer "até logo" pode ser um "adeus."

Não existe relação mais linda nesse mundo.

Mas eu fico aqui, tentando lidar com tudo isso. Não sou mais a filha que tem que obedecer, e sim a mãe que tem que direcionar.

Às vezes, sinto que meus pais se aborrecem por algumas atitudes que tenho que tomar com meus filhos, já aconteceu com vocês? Claro, o olhar deles é outro, eu entendo. Mas estou em um papel no qual eles já estiveram e eu juro que, em cada atitude que eu tomo, estou dando o meu melhor. Assim como tenho certeza de que fizeram o mesmo por mim.

Mãe, pai, quando vocês se aborrecem, meu aborrecimento é infinitamente maior. Além de tudo, tenho que lidar com meu medo de estar fazendo a coisa errada. Já é difícil o bastante ter que ser dura com eles. Por isso me entendam: eu compreendo o sentimento de vocês, mas não posso sair do meu lugar de mãe para ter o olhar que vocês têm. Eu perderia a direção.

Sou pequena nessa nova função, tenho muito chão pela frente. Ainda vou tomar muitos tombos. Tenho muitos desafios para enfrentar. É difícil achar a medida, vocês sabem. Mas sigo tentando unir esses dois mundos: ser filha e ser mãe. Entender vocês e me entender. Escutá-los sem deixar de me ouvir. Achar o meu lugar em cada relação. Estamos juntos nesse ciclo da vida. A minha maior alegria é ver a relação que vocês estão construindo com meus filhos.

Gratidão pelas doces e alegres memórias na vida dos meus meninos.

Estamos juntos.

Bicicletas prontas para voar?

E aí, já encontrou um tempo para você?

Eu sei que a falta de tempo é algo concreto, mas não podemos viver única e exclusivamente em função dos nossos filhos.

Quando começamos a pensar em algo que gostaríamos de fazer, logo surgem as perguntas: como fazer um exercício se, de madrugada, acordo de três em três horas para amamentar? Como vou fazer algo que gosto se saio do meu trabalho e voo para casa para ver as crianças? Surgem também as desculpas: "Meu sonho era aprender a tocar violão, mas ocupo todo o meu tempo livre com os meus filhos e não tenho mais idade para isso". "Adoro balé, mas estou fora de forma e muito velha".

Que tal fazer algo, em vez de mergulhar em desculpas que não levam a lugar algum? Além de estar com a família, o que mais faz você feliz? Algum esporte? Trabalhar? Pintar? Dançar? Ir ao cinema? Relaxar? Meditar? Ler? Tomar um café? Um choppinho com as amigas? Escutar música? Viajar? Cozinhar? Estar em contato com a natureza? Tocar um instrumento musical? Todas as alternativas anteriores?

A gente precisa muito olhar para os filhos. Mas olhamos tanto para eles que, se não tomamos cuidado, perdemos o nosso umbigo. Eu vivia estressada e sobrecarregada. Descobri que é tão bom poder fazer algo que me tira da função de mãe, que renova minhas energias. Nunca imaginei lutar Muay Thai. Também nunca me imaginei em cima de uma prancha de *surf*, ou fazendo posições de ioga. Hoje faço tudo isso. Aprendi depois de ser mãe. É possível!

Por isso, se você estiver aí dividida, sem saber se sobe na bicicleta para ir atrás dos seus sonhos ou se vive somente a maternidade, reflita. Mães, mais do que qualquer ser humano na face da terra, têm que aprender a administrar o tempo. Devemos transportar as crianças para dentro dos nossos sonhos, realizando-os com elas na garupa, ou, às vezes, realizá-los sem elas, por que não? Um dia, nossos filhos não vão mais querer andar em nossa bicicleta e precisamos saber seguir sozinhas.

Não tenham medo de cair, mas sim vontade de voar.

Medo? Não temos tempo. Bicicletas também voam.

Os filhos precisam saber

Dizem que as mães têm amor inesgotável e força sem limite. Por isso, cobram da gente nada menos do que a perfeição. Precisamos escancarar nossas fraquezas e nossa humanidade. Inclusive para nossos filhos.

Isso mesmo: mostrar aos nossos filhos, desde o início, que erramos e temos sentimentos dos mais diversos é essencial para a gente e para o desenvolvimento deles. Mostrar que não temos todas as respostas é natural e necessário. De outra forma, estaríamos enganando a eles e a nós mesmas.

– Mamãe, você falou que dia sete eu ia cortar o cabelo.

– Sim, filho, mas eu me enganei. Seu cabelo não cresceu o suficiente para cortar amanhã.

– Então você mentiu!

– Não, meu filho, eu não menti, eu me enganei. Me desculpa, eu erro assim como você. Quando chegar a hora certa, te levo para cortar o cabelo.

Lembre-se: o sofrimento de errar vem da cobrança de sermos perfeitas. Claro que devemos estar no comando. Eles devem, sim, se sentir seguros conosco. Só que não demonstrar nossas fraquezas pode até deixá-los seguros temporariamente, ao nosso lado, mas não os deixará inseguros para a vida?

Mostrar que erramos, voltar atrás e pedir desculpas é uma lição importante para eles. É maravilhoso usar as perguntas: que tal descobrirmos juntos? Mas o que você acha? O que você faria? Você sabia que eu também erro?

Precisamos ter um relacionamento mais real e igualitário com as nossas crianças. Suaviza para as mães e fortalece os filhos, não é maravilhoso?

Surpreendente maternagem

RITA SCHUENCK

É cansativo. É muito. A gente deixa de dormir, deixa de comer, deixa a vaidade de lado. A gente até tem vontade de se arrumar (muita), mas o cansaço não deixa. É muita correria. Tem hora que a gente só quer chorar. Tem hora que a gente só chora. Chora no banho, chora almoçando, chora trocando a fralda, chora amamentando. Tem hora que eu queria voltar no tempo. Mas, sinceramente, eu voltaria para passar por tudo de novo. Desde a gestação até este exato momento. Não há cansaço, dor, lágrima de tristeza, vontade de sair correndo ou qualquer outra coisa, que chegue aos pés do doce sentimento – que nem consigo explicar – ao ver seus olhinhos sorridentes, sentir seu cheirinho único, tocar seus cabelos e pele, ao amamentar esse pedacinho de mim. O cansaço um dia passa, a dor também. A lágrima de alegria também existe e para sempre dará o ar da graça. O momento de sair correndo já está chegando, mas é pra correr atrás desse bebê que está crescendo, aprendendo a andar, descobrindo o mundo. Ah, a maternagem! Essa que, quando você se entrega, descobre que é forte pra caramba, que os medos de antes eram bobos e que os de agora são bem maiores. Descobre que é possível e fácil amar alguém mais do que a si mesma.

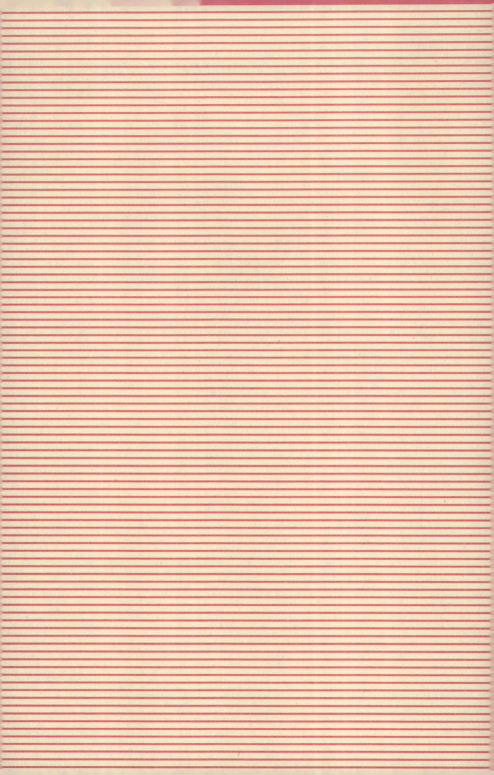

Na segunda viagem

Ter o segundo filho é como estar pela segunda vez em um mar que você já entrou. Você faz ideia do que seja, mas as ondas não são as mesmas. Elas podem estar bem maiores ou bem menores do que as que você já conheceu. Na segunda viagem, já passamos pelo parto, já sabemos amamentar, conhecemos a agonia que é ver um filho chorando com cólica, somos íntimas das noites em claro. Mas, por não saber como o mais velho irá agir nessa nova realidade, tudo parece igualmente novo. Se não é fácil pra gente, imagina pra eles que não tem noção do que vai acontecer?

Poucos dias antes do meu caçula nascer, eu vivia acordando no meio da noite com várias questões martelando na minha cabeça: como vai ser? Será que o Matheus vai ficar bem? Será que vou conseguir amar o caçula como eu amo o mais velho? E se eu tiver o *maternity blues* de novo, como vou fazer? Nossa, dois filhos, quanta responsabilidade! Ia no quarto do mais velho enquanto ele dormia e ficava ali, olhando. Chorava com medo de que, para ele, as ondas fossem grandes e rezava para que elas fossem apenas marolas tranquilas e serenas.

Acho que o segredo, nesse momento, é perceber que o bebê que chegou precisa de carinho e cuidado, claro, mas o mais velho é quem precisa de uma dose extra de afeto.

Necessita de atenção como nunca antes. Também precisa de liberdade para se relacionar com o irmãozinho. Deixe o mais velho dar carinho, beijo, segurar no colo e ajudar nos cuidados. Deixe o relacionamento deles nascer sem muito "não pode isso", "não pode aquilo". Você vai notar o amor brotar no coração do seu primogênito, é lindo de se ver, emociona!

E se você ainda tem dúvida se vai conseguir amar o segundo como ama o primeiro, ah, você não tem ideia.

Eu escolho ser feliz

ÉRIKA BALDIOTTI

Ver sempre o lado positivo da maternidade e da vida tem me trazido paz e felicidade constantes. Claro que tem muitos dias em que o perrengue é enorme. As noites são intermináveis e o cansaço destrói a alma. Claro que tenho vontade de gritar, de chorar, de sumir. Mas prefiro me prender ao lado bom. Ao lado feliz. Ao lado gostoso de ser mãe. Dou valor aos sorrisos de minhas filhas. Dou valor às vestimentas e aos alimentos que elas têm oportunidade de ter. Dou valor ao amor. À saúde. Ao acordar e dormir todos os dias ao lado delas. Os perrengues são quase inevitáveis, mas eles passam. Se eu focar somente neles, vou viver reclamando, vou viver exausta, vou viver sem viver. Sem aproveitar, sem agradecer. Serei mãe para sempre e para sempre esse cargo vai ser difícil. Para sempre terei medo, para sempre terei preocupações, para sempre terei responsabilidades. Mas para sempre eu serei feliz por tê-las. Para sempre serei amada e irei amar cada vez mais. Para sempre terei extensões de mim pelo mundo. Para sempre. Eu escolho ser feliz na maternidade. Completamente feliz. Os momentos complicados serão apenas momentos passageiros. As coisas boas e os aprendizados, quero que fiquem registrados na alma. Quero que me moldem como mãe. Quero que sejam minhas motivações, para eu ser sempre melhor para elas. Ser mãe é muito difícil, mas é a melhor coisa que já me aconteceu.

eles estão crescendo

O que vai ficar na fotografia?

Memória é algo tão nosso, com tantos significados. Fico pensando: por que temos a sensação de que guardamos tão pouco? Será que precisamos deixar espaço para o novo?

Fotos? Ajudam, mas não guardam a real sensação de um momento. Só a memória tem esse poder, só a memória tem essa mágica. O que adianta uma foto com sorrisos enquadrados? O que fica são os sentimentos vividos, os *te amos* ditos e os não ditos. O que fica mesmo são os laços invisíveis e eles não cabem nas fotos.

Momentos singulares não precisam de repetição, como o dia de um nascimento, por exemplo. Por outro lado, às vezes, a repetição de ações cheias de afeto no cotidiano ajudam a memória a reter imagens e sentimentos. O que você gostaria que o seu filho guardasse da infância? Eu quero estar presente na memória deles pelo abraço, mas também pelo "não" na hora do errado. No aconchego na hora de dormir, mas na mão que solta na hora de partir. Memória é cheiro, música, lugar, emoção, companhia.

Eu queria ter uma memória infinita. Queria lembrar de cada diálogo, de cada brincadeira, de cada conversa que tenho com eles. Aperta o peito pensar que posso esquecer desses momentos e, mais ainda, pensar que eles podem esquecer momentos que vivemos juntos.

Queria conseguir lembrar mais da minha infância, também. As memórias vêm em *flashes*, recortes. Mas, de alguma forma, sei que a menina que fui vive através de quem eu sou hoje. Fora que a gente acessa a própria infância através da infância dos filhos.

Ter filhos é ganhar uma máquina do tempo.

Viajamos no cheirinho dos livros novos e encapados para a escola, voltamos a ter nove anos quando estudamos com eles o globo terrestre, e quando os vemos aprender a andar de bicicleta e jogar taco. É uma delícia!

Mas atenção: não adianta estar na memória deles somente na hora da alegria ou da tristeza. Existe um mundo entre esses extremos. Existe o dia a dia. Precisamos estar presentes de forma consistente. Se estamos efetivamente presentes em suas vidas, estaremos com eles para sempre. Memória é presença constante, é sequência de frustração e amor. É compartilhar vivências e momentos, não só no dia do aniversário deles ou quando eles ficam doentes.

Construir memórias de afeto é dar a eles um coração quente.

Os avós

Meus avós, meus amores: grande e doce pedaço da minha infância.

Infelizmente, nem todos têm este privilégio, mas a convivência com os avós é alegria e afeto na vida das crianças. Escuto sempre minha mãe falar que é mil vezes mais gostoso ser avó do que ser mãe, e meu pai concorda.

Quando meus filhos estão na casa dos meus pais, não coloco regras. Na casa deles, as regras são deles e não minhas. Percebo que os avós ficam muito constrangidos quando os filhos impõem tantos "não pode" na relação deles com os netos. Eles nos criaram e deu tudo certo, não deu? Com certeza, eles têm amor e discernimento para cuidar dos nossos filhos também.

Esses engessamentos e regras não permitem que os avós criem uma relação direta com os netos. Fica difícil ser espontâneo e amoroso quando é preciso passar sempre pelo crivo dos pais. "Mãe, não vou ficar com esse skate que você deu porque é perigoso!". "Pai, ela não pode comer muito doce!". "Mãe, ela não pode assistir à televisão!". "Pai, eles têm que dormir cedo!".

Se os seus filhos têm possibilidade de conviver com os avós, não deixe que seus padrões de qualidade influenciem ou criem barreiras. As crianças precisam desse amor tão delicado e sábio, que ultrapassa o tempo e cria memórias inesquecíveis. Nossa sociedade, infelizmente, não ensina a valorizar os mais velhos. Só que são eles que carregam a maior sabedoria. E não podemos esquecer: a forma como tratamos nossos pais é um exemplo, plantado em nossos filhos, de como eles nos tratarão quando nós formos os avós.

Que tal respeitar a vontade dos avós e falar o que queremos com jeito e cuidado?

Nossa maior lição

LUIZA AGRESTE NAZARETH

Conviver diariamente com uma criança não é fácil. Não é fácil porque elas insistem em nos trazer para o presente, para o aqui-e-agora, para a pequena folha jogada no meio do caminho que a gente nem repara, para o passarinho que acabou de passar pela janela, para a única estrela brilhando na noite escura que não prestamos atenção. Elas nos convidam a parar, sentar, tirar os sapatos e sujar os pés com o chão do agora. Mas nós insistimos em nos desconectar do presente, deixar a mente vagar. E elas insistem em continuar a pedir nossa atenção para aquilo que está acontecendo naquele momento e não valorizamos. Elas demandam não só presença física, mas também – e principalmente – emocional e nós nos desacostumamos a estarmos presentes, emocionalmente, onde quer que estejamos fisicamente. Convidam a desacelerar, a desligar nossas preocupações com o futuro, a desconectar das expectativas dos outros e a simplesmente estarmos, aqui, agora, aproveitando o que a vida nos entrega. Que hoje a criança que convive com você chame a sua criança interior para viver o presente.

O trabalho mais árduo

Eu achava que acordar de madrugada para dar de mamar era difícil. Achava que ficar atrás deles quando começaram a andar era cansativo. Achava que passar a noite em claro com um filho doente me preocupava no máximo grau. Mal sabia o que estava por vir, mal sabia a dificuldade que é educar um filho. Mal sabia como seria cansativo dar limite e falar mil vezes a mesma coisa. Mal sabia a preocupação de ver um filho crescer em um mundo com tantos maus exemplos, informações vindas de todos os lados e direções. Mal sabia que teria que ficar esperta com as amizades, com o que ele assiste, com o que ele anda dizendo. Eu não sabia que escutaria "eu te odeio" dos meus próprios filhos. Não sabia como me sentiria mal com isso. Mal sabia a vontade que eu teria de sumir, de desistir. Jogar a toalha mesmo, sabe? Como podemos ser tão ingênuas sobre a maternidade? O que eu achava? Que falaria uma vez e eles absorveriam? Quanta inocência! Achava que eles não iriam me enfrentar? Sonhadora, eu. O que pensei? Que eles não precisariam ser orientados dia após dia? Como fui boba. Aos poucos, entendemos que educar é não deixar a poeira baixar. A orientação tem que ser na hora, não dá para deixar para depois. É a cada palavra. A cada movimento na direção errada, direcioná-los para o caminho certo.

É muitas vezes não saber qual é o caminho certo. É falar milhões de vezes, mesmo exausta. É dormir cansada e ter que acordar porque no dia seguinte começa tudo de novo. É seguir lutando. E eu achando que acordar de madrugada era difícil.

Síndrome do colo vazio

Meu Deus, eles não cabem mais no meu colo. Socorro.

Tento aconchegá-los da melhor forma possível, mas suas pernas compridas caem, insistem em não caber no lugar que era, para eles, o melhor lugar do mundo. O mesmo colo, tão disputado, agora está esquecido. Meu Deus.

Tento levar da forma mais natural possível, mas preciso confessar: ando sentindo muita falta de ser colo. É uma angústia gigantesca de querer proteger, dar aconchego. Começa quando os filhos não nos procuram mais com tanta frequência. Acomete aquelas que amavam brincar de ser mãe na infância e passavam horas e horas com as bonecas no colo, ou as que são extremamente emotivas.

Talvez você fique sobrecarregada com todas as funções que a maternidade gera e acabe achando que só o filho do vizinho cresce rápido. Espere até seus filhos não caberem no seu colo! Você terá certeza de que o tempo voou. Você vai ficar melosa e querer estar agarradinha neles. E vai se perguntar: será que eu perdi algo durante esses anos? Será que aproveitei o máximo dos meu filhos quando eles eram bebês?

Sentir que meu colo não tem mais o mesmo significado para eles é tão dolorido. Eu sei que, se não querem mais colo, é porque estão crescendo felizes e saudáveis, que estou educando da maneira correta, dando independência. Afinal, filho se cria para o mundo, já dizia a minha avó. O problema é que nem lembrando disso eu me livro dos sintomas da tal síndrome.

Que parte desse saudosismo é saudável e natural, e qual parte é apego ou carência?

Respiro fundo. É para dentro que precisamos olhar. É sempre para dentro. Algumas coisas, precisamos sentir e aceitar. Outras, precisamos transformar. Quando seu filho crescer um pouco e você sentir os primeiros sintomas, vai me entender.

Filhos precisam ser olhados

Dentre tantas coisas que fazem parte da comunicação humana, o olhar é especial. Olhar de verdade é doar atenção a alguém. Escutar é importante, claro. Mas fale com uma pessoa que não te olha nos olhos e vai entender. Perde o sentido, a conexão. E é isso que vivemos fazendo com nossos filhos, escutamos o que eles têm a dizer com os olhos no celular.

Só que crianças precisam desesperadamente serem olhadas. E com profundidade.

Nesse mundo, em que mil coisas acontecem ao mesmo tempo, em que pais vivem com celular nas mãos o tempo todo, o olhar fica de lado. É cruel para as crianças. "Mãe, olha o que eu sei fazer!", e vem com as mãozinhas tirando as nossas do celular. O que estamos fazendo? "Pai, presta atenção no que eu estou falando". O que pode ser mais importante do que o que eles têm a nos dizer? "Mãe, larga o celular", "pai, olha pra mim!".

Quem nunca escutou falas assim?

Elas são como um soco na boca estômago, tiram o ar. Quanto estamos perdendo? Não dá pra mensurar. Olhar é afeto. Não nos esqueçamos de que eles seguem nossos exemplos. Quando forem adultos, se não receberam, não saberão valorizar a presença de verdade. Não saberão olhar com profundidade.

Nós, pais, precisamos repensar a real necessidade de checar o celular quando estamos com eles. Se estamos no celular, o tempo definitivamente não conta como tempo com os filhos, e sim como tempo no celular. Eu posso lembrar a delícia que era ter a atenção dos meus pais no que eu falava ou fazia. Nossos filhos precisam ser olhados e nós precisamos do olhar deles. O celular não nos olha de volta.

Se não construirmos esse vínculo tão importante hoje, amanhã vai ser tarde. E o amanhã está logo ali, do outro lado do hoje.

Somos exemplo

Nossa influência como mãe é poderosa. Olhos pequeninos nos observam dia e noite. "Mamãe, o que é isso que você está comendo?". "Por que você gosta de fazer aula de luta?". "Mamãe, por que você fala oi para todo mundo?". Para eles, estamos no pedestal mais alto, pode apostar. Pedir para comer verdura se ele não vê você comendo não faz sentido algum. Querer que ele pratique algum esporte se você não pratica, fica difícil. Querer que ele seja educado e simpático com todos se não vê você sendo assim, definitivamente não vai rolar.

Seja exemplo. Ao mesmo tempo, deixe-o livre para escolher o que quer.

Ele não vai necessariamente comer as mesmas verduras e legumes que você come. Pode ser que não goste do mesmo esporte que você gosta. Também pode não ser tão extrovertido como você é. Mas alguns gestos, sentidos, conceitos e hábitos você pode plantar. E, esteja certa, algo vai brotar.

Só tem um detalhe. Por mais que a gente os direcione para o caminho que acreditamos ser o melhor, em algum momento eles vão testar nossos limites. Vão querer experimentar o caminho contrário. Além disso, não somos os donos de toda a verdade. Eles precisam criar suas próprias concepções sobre o mundo. Testar as coisas que estamos entregando para eles.

Mas a gente se esforça tanto para dar o caminho das pedras para eles procurarem a outra direção? Sim, faz parte.

E, em algum momento, eles vão nos desapontar. Em coisas simples ou graves. É difícil, eu sei. Vai doer. Mas precisamos relembrar que já fomos filhos. Como era com você? Não cansamos de fazer isso na nossa infância e adolescência com os nossos pais? É próprio do ser humano arriscar, desafiar, enfrentar, buscar atalhos, errar e encontrar o próprio caminho. Eles estão passando pelo processo de construção de quem são.

Você também já passou por isso.

A única alternativa que temos é seguir mostrando nossos valores, seguir dando o exemplo. O resto vai se ajustando. Algo me diz que a vida nos mostrará o resultado do nosso esforço e dedicação, mesmo com os contratempos. Por isso, mesmo sem saber o que de fato acontecerá ou qual direção eles vão tomar, temos que aproveitar enquanto estamos no pedestal. Ser e mostrar a eles a nossa melhor versão. Só assim, à medida que forem crescendo, vão saber buscar novos bons exemplos para seguir, mesmo que não sejam os nossos.

E assim estarão aptos a encontrar a melhor versão deles.

As maiores espectadoras

ALINE VICENTE

Você tem muito para viver, aprender, caminhar, rir e chorar. A vida não é fácil, ensina na dor. Mas ser mãe é ensinar com amor. É deixar de ser protagonista e se tornar espectadora, e como é lindo esse show. Rimos e choramos juntas. É como se fosse eu ali, sentindo as suas alegrias e sofrimentos. E esse é só o começo do seu espetáculo. Os primeiros passos de uma peça que não têm ensaio. As primeiras falas de um roteiro improvisado, dia a dia. Gostaria de ser a diretora, mas essa peça é sua, cabe a mim assistir, na primeira fileira. Gostaria até de sussurrar a próxima cena, se você pudesse me ouvir. Mas sei que tem coisas que você vai ter que aprender sozinha ou com outras pessoas. Que Deus permita que eu não perca nenhum episódio. Que Deus permita que eu esteja saudável, mesmo mais velha, para participar do próximo capítulo. Estarei sempre lá, aplaudindo você de pé. É só me procurar.

Educando meninos e meninas?

Menino não chora. Menina chora demais, dizem. De onde vem esse estigma? Existe mesmo diferença entre criar meninos e meninas? E por que nos basear no que eles têm de diferente? O coração não é igual?

Brinquedos de menina e brinquedos de menino. Carrinho é para menino e boneca é para menina – será? Mulheres não dirigem? Homens não se tornam pais? Dirigir é símbolo de liberdade e independência. Meninas não devem ser estimuladas a serem livres e aventureiras? Cuidar é símbolo de paternidade, de cumprir um papel que é humano. Meninos não devem ser estimulados a cuidar de um bebê? Como podemos querer que as meninas sejam independentes e que os meninos sejam bons pais se não existir, na infância, o lúdico que os estimule?

A criança tem que ser livre para brincar do que quiser. A menina ama rosa e brincar de panelinha? Ótimo. A outra ama brincar de carrinho? Ótimo também. O menino só quer saber de azul e jogar futebol? Sem problema algum. O outro gosta de brincar de boneca? Tudo certo.

E os esportes? Definem-se por gênero ou pelo prazer envolvido em praticá-los? Skate é de menino e balé é de menina. Mesmo? Basta um bailarino para provar o contrário. Basta uma única skatista para isso cair por terra.

Sabe o que a gente precisa ter para entender as preferências dos nossos filhos? Cabeça livre de padrões pré-estabelecidos. Perceber que o que sonhamos para eles é um problema nosso, e não deles. Se, porventura, o esporte escolhido for o oposto do que imaginamos, não importa. Não devemos empurrar nada goela abaixo e sim os deixar livres para escolherem o que quiserem. O que importa é eles fazerem aquilo que lhes faz bem.

Meninos precisam ser estimulados a falar e expor seus sentimentos, já que a sociedade os convida ao contrário. Meninas precisam entender que não existe príncipe encantado e que elas precisam ir à luta, já que a sociedade as induz ao completo oposto. Só com liberdade e sensibilidade poderemos entender o coração deles. Orientá-los a seguir suas vontades. Deixar florescer a personalidade.

Escolha o que é bom para os seus filhos. Não para o seu menino ou para a sua menina. Para a sua criança.

O que os seus filhos vão ser quando crescer?

LETÍCIA PRATTI

Ao recolher seus blocos de montar, fico pensando se você se tornará um engenheiro. Enquanto respondo aos seus "porquês" inconvenientes dentro do elevador lotado, pergunto-me se você se tornará um médico. Ao acordar cedo aos domingos de competição para te dar força, às vezes te enxergo um campeão de natação no futuro. Quando vejo você brincando de casinha com as colegas da escola, imagino que se tornará um pai participativo.

Mas não há como saber. Não há como prever o que os filhos vão ser quando crescer. Não há como desvendar o que eles já são. Só nos resta esperar o tempo passar. Aos pais, cabe motivar. Incentivar. Instruir. Ajudá-los a seguir o caminho que seus corações definirem. Cada criança tem suas qualidades, defeitos, talentos e trejeitos. A combinação entre eles é o que cria a sua identidade, o seu valor.

Vale a pena pisar nos blocos de montar espalhados enquanto vai até a cozinha buscar água no escuro. Vale a pena responder aos intermináveis "porquês", isso nos faz enxergar que muitas das nossas verdades não fazem sentido algum. Vale a pena acordar cedo no domingo e ir para arquibancada "pagar mico". Vale a pena mostrar que brincar de casinha é o mesmo que "brincar de família", cada um com seu papel e todos unidos pelo amor. Os adultos que nossos filhos serão dizem muito sobre os adultos que somos enquanto eles estão crescendo.

Poder da invisibilidade

Vamos ficando invisíveis. É um poder que chega aos poucos, conforme os filhos vão crescendo. Quando a gente sente que ele chegou, não é fácil, mas ele é fatal e chega para todas as mães.

A gente percebe quando chama mil vezes para almoçar e eles não vêm. Quando tentamos perguntar como foi na casa do amigo e eles não respondem. Quando deixamos os filhos na escola e eles nem olham para trás. De repente, você descobre: ficou invisível.

No início, é sofrido não ser percebida. Sabe aquela experiência de passar perto do filho e ele estender as mãozinhas pedindo colo? Então, ela acaba. Ser mãe desgasta, a gente precisa de um tempo para respirar. Mas se tornar invisível é demais, né?

A gente corre para ter comida na mesa, organiza tudo para os amigos virem em casa, leva para o esporte, se desdobra para levar e buscar na escola, incentiva a leitura, faz o bolo que eles gostam, passa o fim de semana em função deles. E o que a gente ganha é: a capa da invisibilidade.

Já sofri por isso, não sofro mais.

Claro, pego no pé. Falo todos os dias que eles têm que dar valor ao que faço, imponho respeito, e agora tenho uma nova regra: só chamo duas vezes. Se não vier, perdeu a comida, a escola, o banho, o que seja. Mas hoje não tenho mais a utopia de esperar que os meus filhos valorizem tudo o que eu faço. Só espero uma coisa: que sintam prazer em voltar para casa.

A invisibilidade ensina. Essa tal maternidade é mesmo um aprendizado sem fim. Amadurecemos com as vivências. Tornar-se invisível e continuar fazendo por eles é um grande exercício. O melhor remédio para o orgulho. É uma das mais difíceis provas de amor que um ser humano pode oferecer. E se você, como nós, mães, tem o poder da invisibilidade e faz um trabalho que ninguém vê ou valoriza, deixo aqui o meu sincero reconhecimento.

Vida é para viver

Não pode. Cuidado. Vai estragar. Vai machucar. Vai sujar. É só o que eu escuto por aí. Como ficamos tão chatos? Não que a gente não tenha que ensinar o valor das coisas e certo cuidado com o próprio corpo. Mas o exagero vira uma paranoia horrível e pode afetar o desenvolvimento das crianças. Sangrar e se recuperar? Faz parte. Ver a casquinha se formar sobre o machucado, arrancar a casquinha e sangrar de novo. Lembram disso?

Pular no sofá, cair da bicicleta, fazer arte, faz parte.

Relembrem a infância de vocês e notem: a frequência com que nossos filhos se machucam é muito menor. Além disso, nossas mães não ficavam em cima da gente o tempo todo. Superproteção! Como se fossemos protegê-los das dores da vida. Estamos podando nossos filhos da própria vida que demos a eles, já reparou? E a frustração, que é tão necessária, eles não vão sentir? E o sentimento de arriscar, tão importante, vamos podar?

O mundo está mais perigoso, eu sei. Mesmo assim, precisamos encontrar formas de dar liberdade a eles. Só assim terão coragem de arriscar e passar por experiências necessárias para se tornarem adultos seguros e independentes. A vida, o corpo, a mente, as roupas e as coisas estão aí para serem usados. Queremos crianças quietinhas de roupas intactas, casas arrumadas sem espaço para a imaginação?

Queremos crianças com a folha da infância em branco? Ou vamos preferir que nossos filhos se mexam, arrisquem-se e se orgulhem das marcas no corpo e das histórias para contar? Vamos encontrar formas de dar liberdade aos nossos filhos? Vamos ensiná-los a usufruir a vida sem tanto medo e cuidado em excesso?

Do chão, não passa.

Homem que brinca de boneca

MARCOS PIANGERS

Fui me flagrar do que é ser pai no dia do parto. As pessoas têm aquela visão romântica, dizem que é o dia mais maravilhoso da sua vida. Quando o obstetra, amigo da família, disse naquela manhã de domingo: "Vamos fazer a cesárea?", fiquei chocado. "Com toda essa naturalidade, doutor! Espere aí! Eu não estou preparado!". Mas a minha mulher estava, depois de nove meses de espera, e dor, e desequilíbrios hormonais. Não achei romântico nem mágico, achei brutal e sangrento. E, de noite, depois que todas as visitas inconvenientes foram embora, minha mulher estava exausta e minha filha chorava. Chamei a enfermeira, perguntei se ela poderia fazer algo para a criança dormir. E ela riu, me olhou nos olhos e disse: "Agora é com você". Ali virei pai.

Para o homem, a descoberta da paternidade vem aos poucos. A gente passa anos pra se acostumar com a ideia. Não fomos treinados, não brincamos de casinha, não ganhamos bonecas. Alguns homens acham que tudo isso é coisa de mulher, mas eu acho que não. A gente deveria ter treinamento desde pequeno, pra entender a importância de dividir as funções. Talvez os homens crescessem mais sensíveis, gentis, mais cuidadosos com o sentimento dos outros. Esses dias eu estava entre bonecas e minha filha pequena. Demos papinha, colocamos uma roupinha quente, passeamos com a boneca de carrinho pela sala. "Um dia eu e você vamos casar, né, pai?". Respondi: "Papai já casou com a mamãe. Você vai casar com alguém mais legal ainda que o papai". Alguém que está por aí, em algum lugar. Brincando de bola, de bicicleta, ou de boneca.

Sororidade

Uma mãe da escola passa com os cabelos soltos e eu falo que ela está linda. Para que invejar se podemos elogiar? Minha funcionária me conta sobre a vida dela e eu procuro aconselhar. Para que fechar os olhos se podemos ouvir? Posto textos de leitoras falando sobre os sentimentos e experiências delas com a maternidade, uma vez por semana. Para que ser singular se podemos ser plural? Quando não estou bem, encontro minhas amigas e recebo conversa amiga, mão estendida, abraço bem dado. Para que deixar passar se podemos acolher?

Uma mãe com semblante cansado dá um grito enquanto tenta controlar o chilique do filho no meio do parque. Eu vou buscar a bola que o menino jogou longe, e quando devolvo na mão dela, aproveito e digo: "entendo você". Para que julgar se podemos ajudar? Incentivo uma amiga a ir atrás do seu sonho e montar seu escritório. Para que desencorajar se podemos empoderar? Sorrio para a caixa do mercado que parece desanimada. Para que criar antipatia se podemos criar empatia? Vejo a minha amiga se emocionar com o falecimento da avó e abraço bem apertado. Para que ignorar se podemos aconchegar? Tem uma amiga da minha irmã que está me ajudando com os meus novos projetos. Para que desmotivar se podemos ser a força para realizar?

É muito conveniente, para a sociedade patriarcal, que mulheres não sejam amigas. Ao trocar umas com as outras, percebemos o quanto nossas insatisfações são pertinentes, como a carga colocada em cima de nós é pesada e como ainda existe muito preconceito e machismo. Juntas, temos o poder de transformar o mundo em um lugar mais afetivo e humano.

Sororidade, sim! Sororidade nada mais é do que união e a empatia entre mulheres. E faz tão bem!

Briga de irmãos

Matheus 9, Thomás 6.

Quando eram pequenos, nunca imaginei que apartaria tapas, xingamentos, empurrões e socos entre os meus filhos quase o dia todo. Essas brigas me geram um estresse muito grande. Preocupação. Será que vão se dar bem quando crescerem? Chega o fim do dia e depois de separar muita briga, o Thomás vira um tapa nas costas do Matheus. Nessa hora, eu já sem paciência:

– CHEGAAA! Thomás, você acabou de perder a razão porque bateu no seu irmão. Não é assim que se resolve um problema.

– Mas mamãe, ele me irrita muitooooooo!

Thomás chora compulsivamente, enquanto eu penso: não tenho mais forças, eles que se resolvam. De repente, um silêncio abençoado dura até que eles entrem na cozinha, de novo brigando. Desânimo! Então chega a hora do meu descanso no sofá. Olho para o lado e Matheus e Thomás, quase não acredito, estão com a cabecinha encostada um no outro.

– Ué? Vocês brigaram o dia todo e agora estão aí juntinhos?

– Mamãe, irmãos são assim mesmo, brigam mas se amam!

– É, mamãe, eu amo o meu irmão.

Uma paz invade o meu coração. Durmo tranquila. No dia seguinte, mal abro os olhos, ouço:

– Mamãe, o Matheus está me provocando!

Agradável surpresa

A mesma maternidade que nos modifica a cada dia, que nos esgota de uma forma inexplicável, também nos surpreende. Sim, surpreende e de maneira tão doce e genuína. Amor! O mesmo que a gente deu volta e nos envolve em um abraço, em um colinho, em uma palavra, em um olhar, em um conforto. Vocês que estão com seus bebês em fase de se doar dia, noite e madrugada, imaginam que um dia eles podem ser colo para vocês?

– Mamãe, o que você tem? Deita aqui no meu colinho para eu te dar um carinho.

Aconteceu num dia em que eu estava meio para baixo. Deitei no colo do meu filho, naquelas perninhas gordinhas. Ao fechar os olhos, pude sentir que minha doação sem fim se transformou em amor de volta. Sentir o amor voltar é ter a certeza de estar no caminho certo.

As mãozinhas pequenas passaram pelos meus cabelos assim como eu fiz (e continuo fazendo) tantas e tantas vezes com os cabelos dele. Aquela boquinha fez um biquinho e beijou a minha mão exatamente como eu beijo a dele. É um presente de Deus embrulhado com fitas vermelhas em um pacote bem grande! Tão grande que a gente quase não consegue segurar com os braços.

Apenas seis anos e ele percebeu que eu precisava de colo.

É uma delícia ser colo para um filho. Ganhar colo de um filho? Outra delícia.

Seus filhos precisam "tanto" de você?

É tanta função que não dá para acreditar! E os filhos acham pouca coisa? Não basta ser motorista, cozinheira, conselheira, dama de companhia, *coaching*, arrumadeira. Eles acham que as mães também podem ser cabide, bombeira, garçonete, lixinho, e até mesmo mágica. Já pararam para pensar em todas essas funções que os filhos querem nos dar?

A gente carrega tudo, é cômico, e eles ainda pedem para segurarmos o casaco? Só podem estar de brincadeira, vai?

Enquanto dirigimos o carro, eles pedem para amarrarmos seus sapatos. Ouvimos gritos sofridos de "mamãe, socorro". Corremos e chegamos em dois palitos. Temos certeza de que alguém morreu e sabe o que aconteceu? Só não encontrou a blusa do pijama. Eles, ao lado do lixo, pedem para jogarmos fora o palito do pirulito. Quando a gente deita no sofá da sala, eles pedem o pacote da bolacha.

O meu maior dever é incentivá-los a crescer e se desenvolver, isso eu tenho obrigação de fazer. Agora, amarrar os sapatos, jogar o lixo, pegar o pacote de bolacha, carregar o casaco e lembrar da lição, não é minha obrigação! Se não entenderem que são eles que têm que fazer, como amadurecerão? Para nós, mães, um alerta: cuidado, as crianças são muito espertas. Existe uma linha tênue entre ser "legal" e ser "escrava", cuidado para não cair nessa cilada! Seu filho precisa crescer e, quando isso acontecer, ele precisará menos de você.

Sei que às vezes é difícil não ser mais tão necessária, mas essa é a grande sacada.

Pense bem: é saudável o seu filho não precisar mais "tanto" de você.

O tamanho do nosso amor

ANANDA URIAS

Há poucos dias, depois de uma discussão com minha filha, ela chorando demonstrou imensa preocupação e, de forma inocente, me perguntou: “Você vai deixar de me amar?”. Ela talvez ainda não saiba, mas meu amor por ela nunca terá fim. Se lá na frente, em sua juventude, ela não cumprir os meus sonhos de felicidade para a sua vida, ainda assim estarei ao seu lado, lutando por ela. Ela erra como aprendiz e eu erro como mestre. Porque, lá no fundo, somos todos aprendizes. Mesmo que a gente queira fraquejar, desistir, voltar atrás, o amor incondicional nos encoraja a seguir em frente. Somos carregados no colo em dias de tribulações, somos agraciados nos dias de sorrisos fáceis e abraços apertados. Somos persistentes nos dias difíceis, porque o amor não nos permite olhar para trás. Não, filha. Eu nunca deixarei de te amar. No teu sorriso quero gargalhar contigo, no teu choro quero te dar o meu colo, e mesmo sabendo que nem todas as pedras eu poderei retirar do seu caminho, quero que você faça do meu amor o teu mais sincero e ilimitado abrigo.

Aperte o laço

Não é fácil ser mãe e pai hoje em dia. Crianças sofrem caladas. Elas se metem em situações e têm medo de sair, escutam besteiras na internet e absorvem cada palavra. Por que será? O que está tão errado? Muitas vezes me sinto sufocada em meio ao controle que a tecnologia na palma da mão exige. Mas já pensaram como deve ser difícil ser criança hoje? Os pais não têm se comunicado com os filhos o quanto deveriam. É muita correria, dizem. Estamos criando uma geração de crianças que fala pouco e sofre muito.

Independente de *bullying*, desafio ou influência ruim, a grande vilã é a falta de conversa.

É chato ter que ficar vendo se o *youtuber* preferido fala coisas sem sentido. É chato ter que colocar limite e ajustar regras o tempo todo. É muito difícil saber o quanto é ok usar o *tablet*. É tudo novo para você e para mim também. Mas a vida dos pais, hoje em dia, passa por aí, não tem jeito. Eu te pergunto: Como uma criança pode desenvolver segurança e autoestima sem conversa, sem limite? Como queremos que nossos filhos nos contem as coisas se não temos tempo suficiente para ouvi-los?

Você pode correr para onde for, psicólogo ou o *mega* expert em adolescentes. Porém, se você não abrir um bom canal de comunicação com o seu filho, se não se aproximar, conversar, explicar, deixa-lo falar, interessar-se pelo que ele diz, procurar entendê-lo, não tem saída. A chance de ele sofrer ou causar *bullying* e não te contar vai ser alta. A chance de ele se envolver em um desses desafios horrorosos na internet e calar é gigante. E a chance dele escutar e copiar cada palavra que o rapaz da internet fala é maior ainda.

Por isso, quando ele falar de algum assunto, puxe a linha. Faça como o gato e seu novelo, puxe o máximo que puder. Transforme uma palavra na conversa mais longa que você conseguir. E a conversa não tem que estar somente no desafio da baleia azul, no amiguinho da sala que não tem um bom comportamento e por isso você fica sondando, ou no *youtuber* preferido. A conversa tem que estar também no cotidiano. Nos cachorros que passeiam pela rua, no corte de cabelo que ele quer fazer, se ele pode te ajudar a preparar o jantar, na maneira bacana como ele trata os amigos.

Fale sobre como é bom receber um beijo dele, sobre o que vão agradecer no fim do dia. Não perca tempo. Fale com eles agora, para que, quando eles forem adolescentes, o laço entre vocês já esteja bem dado.

Do que você se orgulha?

Das delícias de ser mãe, acho que a maior delas é sentir orgulho dos filhos. Quando esse sentimento aparece, sinto que todas as dores, tropeços e dificuldades que passei para colocá-los nos trilhos nunca existiram. A sensação que eu tenho é a de que ganhei uma estrela daquelas que ganhávamos na escola por ter feito algo louvável. Sorriso no rosto. Trabalho bem feito. Renovação. O sentimento de orgulho vem como um presente. Como um *upgrade*. Saber que são educados e bons meninos alivia a alma, aquieta o coração. Afinal, não é esse nosso objetivo?

Meu maior orgulho não são as notas altas, mas observar que eles tratam todos com igualdade e respeito. Meu maior orgulho não é perceber a facilidade do mais velho para se comunicar, mas observar que ele usa a comunicação para agregar, unir, somar. Meu maior orgulho não é o meu mais novo ser o mais rápido da sala, mas saber que ele se relaciona bem com todos os colegas. Meu maior orgulho não é perceber que eles têm habilidades para línguas, mas que não as veem como fronteira para fazerem novas amizades.

O mais gratificante não é perceber que eles se dedicam às aulas de solidariedade na escola, mas ver que eles a praticam. Não é o mais velho já conseguir acompanhar um filme legendado, mas ver ele se emocionar com a história. Ninguém vai lembrar quem era o mais rápido da sala ou o que tinha mais habilidades para línguas. O que fica são os laços.

O resto é só detalhe.

Por isso, quando ajudo uma senhora a sair do carro e escuto meu filho dizer: "Mamãe, você é uma boa menina!", sinto muito orgulho dele, mas de mim também.

Quando a adolescência chega

NATÉRCIA TIBA

Tenho um filho adolescente e outro pré-adolescente. Sempre tive uma enorme preocupação em formar bons seres humanos, deixar um legado para o mundo. De certa forma, vejo meus filhos como a maior contribuição que posso deixar. Sempre tive consciência de que o maior empenho seria na educação deles ainda pequenos. Seria esse o momento de passar valores, informações e ensinamentos.

Para mim, a adolescência seria o momento em que eu começaria a ter retorno de todo o empenho como mãe e como exemplo. "Só se torna *aborrecente* quem foi *crionça* um dia", meu pai dizia. A ideia de conviver com adolescentes sempre me encantou. Sabia que, para ser bem aceita na vida deles durante esta fase, tinha que ter cuidado para não tratá-los como *crioncinhas*. Hoje, com o meu de quinze anos, sinto-me orgulhosa e gratificada. Não estou falando só de desempenho na escola e de talentos que ele tenha desenvolvido, mas sim da pessoa que ele está se tornando, da forma como se relaciona com os outros e com o mundo, de seu empenho em fazer a diferença.

Recentemente me dei conta de que deixei passar uma questão fundamental. Em todo meu empenho com "que filho deixarei para o mundo?", esqueci de pensar em "que mãe ele deixará para o mundo?". Felizmente, não por sorte, mas por coerência, vejo que a maternidade me tornou uma pessoa melhor. Sempre fui muito intensa, e aprender a ser mais flexível foi um dos maiores ganhos. A forma de me relacionar com o mundo mudou. Sinto que sou mais compreensiva, tolerante, paciente e – por que não? – um pouco mais louca. Acho ótimo, por sinal.

Um ponto que ainda me toca fundo é me aproximar do momento de deixá-lo ir para o mundo. Por saber desde cedo o que quer, mesmo sendo muito novo, já começou a desbravar seus próprios caminhos. Recentemente me despedi dele em uma Colônia de Férias e me ouvi dizendo: "Boa sorte, filho! Você está começando a viver e a lutar pelos *seus* sonhos". Claro que, ao deixá-lo lá, desabei. Chorei muito, não só porque ficaríamos um tempo longe – quatro semanas, não muito cronologicamente, mas muito para o meu coração – mas porque sabia que uma nova etapa estava começando e que, se tudo corresse bem, aos poucos, ele deixaria de estar tão perto de mim.

Não tenho receio do que ele irá viver. Vejo-o muito estruturado e determinado. Não tenho dúvidas dos seus valores e da sua capacidade de contribuir para o mundo. Mas tenho receio de que eu não esteja pronta quando ele for morar fora. Para o coração de mãe, não basta saber que os filhos estão bem, precisamos olhar nos olhos, sentir o cheiro, abraçar apertado e falar eu te amo (todos os dias, se der). Tempo e espaço são relativos. O longe se torna muito distante e os minutos muito longos. Até então eu achava que toda a dedicação aos filhos pequenos era o maior gesto de amor, mas hoje acho que o maior gesto é deixá-los ir. Não é um momento de despedida, porque estaremos perto sempre. E sim o fim de uma grande etapa da minha vida, na qual desenvolvi um dos meus maiores e mais lindos projetos.

Fico animada ao ver que ainda tenho um filho de doze anos. Com ele, estamos a mil num projeto semelhante, mas mirando outros sonhos que definirão seu próprio caminho. Se tudo der certo, ele também partirá e sei que, mesmo já tendo passado por isso com o primeiro, vou passar por tudo de novo. Mas não preciso começar a pensar nisso agora, não é mesmo?

Raiz e asa

Raiz é morada. Princípio, caráter, ensinamento. É abraço apertado dando certeza de quem está ao seu lado. É beijo estalado. Olhar profundo, conversa que agrega e acolhe. Asa é horizonte sem fim. É autoestima, escolha, segurança. É liberdade na certeza de ter ajudado a cultivar uma raiz forte. Quando começam a andar, vão se afastando aos poucos. Com as perninhas pequeninas, correm para longe da gente, mas voltam com rapidez. Crescem mais. Viram crianças. Vão dormir na casa da vó, brincar na casa do amigo. Daqui a pouco querem mais independência. Pedem para descer no prédio ou brincar na rua sozinhos. Mas voltam. Crescem mais, entram na adolescência. Vão ao cinema e a festas. E voltam. Vêm as viagens. Demoram, mas voltam. Tornam-se adultos, independentes. Saem de casa, seguem suas vidas. Então as demoras vão aumentando e as voltas diminuindo. Mas, em cada volta, percebemos que eles sabem: perto do nosso coração, sempre se sentirão em casa.

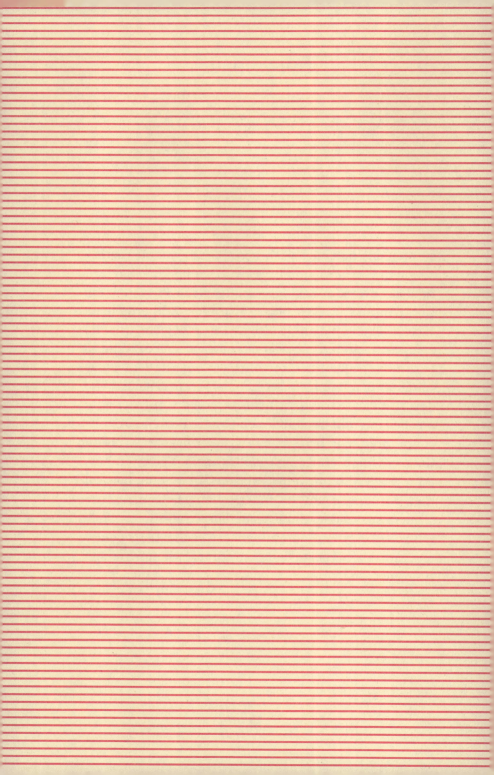

Muito obrigada, mas eu não quero ser uma mulher perfeita

Eu realmente não sei em que momento isso aconteceu. Não sei se foi após um dia exaustivo querendo me dedicar perfeitamente a tudo e a todos, ou se foi em um dia mais tranquilo e introspectivo. Não sei se foi depois de duas taças de vinho em um jantar com amigos, ou se foi completamente sóbria, após me levantar pela manhã. Só sei que eu decidi e me libertei de algo imposto a nós mulheres: a perfeição. A supermulher. A mulher-maravilha.

Hoje digo com toda a certeza: perfeição? Não, muito obrigada.

Esse pacote é muito pesado, consumiria grande parte do meu tempo e acabaria com meu bem estar. Eu não quero mais dar conta de tudo perfeitamente bem, cansei de equilibrar tantos pratos, colocar panos quentes, e de engolir sentimentos e vontades para continuar sendo a supermulher-maravilha-perfeita em todos os aspectos. Sabe aquela que está sempre em dia com tudo? Então, não estou mais em busca disso, porque essa não sou eu. Acho que essa não é ninguém.

Não se assustem! Não vou largar meus filhos e sair em um ano sabático pela Ásia, não é nada disso. Eu só estou me aceitando com os meus defeitos, com os meus esquecimentos, com as minhas vontades, com minhas mudanças de humor, com a mãe que eu posso ser, com quem de fato eu sou. Pode até parecer loucura, mas juro: é sanidade pura.

Eu troco armário arrumado por sessão longa de cosquinha no sofá. Eu troco me arrumar e me maquiar por mais uma hora escrevendo. Eu troco cozinha organizada por brincadeiras e correria pela casa. Eu troco ter o melhor corpo por duas horinhas de sono a mais e café com bolo. Eu troco agradar a todos pelos sorrisos de quem realmente se importa comigo. Já faz um tempo que a decisão foi tomada. Desde então tirei um peso gigante das minhas costas. Eu quero ser eu, com meus defeitos e qualidades e não o que esperam de mim.

Às vezes, precisamos limpar tudo para nos descobrirmos embaixo do que a sociedade nos impõe. Para descobrirmos quem somos de fato.

E você, tem trocas a fazer?

Finitude

Eles se aconchegavam no meu colo. Só conseguiam caminhar com as pequenas mãozinhas nas minhas. Hoje, correm atrás da bola e fazem gol. Ficam em pé na prancha para pegar onda. Caminham para longe. Começam a partir aos poucos. Filhos crescem rápido, é fato. Mas não é sobre isso. É sobre o cordão invisível. O cordão que não se vê, mas se sente. O cordão que não sabemos quando vai deixar de existir. Tem dias que está bem preso, em outros mais solto, mas sempre está lá.

O cordão invisível. Talvez também não seja sobre ele, mas sobre o nosso sentimento de finitude. Chega a embrulhar o estômago. Dói. Amarga a boca. Dá medo de andar de avião sem eles e o cordão estourar. Chega a fazer mal pensar na possibilidade da não existência.

O medo de partir. Antes não existia, hoje domina.

Mas será que é real necessidade ou apego? Se estão conseguindo partir é porque têm confiança, certo? Se vão é porque têm algo que os faz fortes. São fortes mesmo sem estarmos ao lado deles. Será que é através desse cordão que recebem a coragem? E as mães que partiram desse mundo, deixando seus filhos? O que as liga a eles? De onde vem a força desses filhos para seguirem em frente? De quem fica? Parte, com certeza. Mas e o cordão, será que ele ultrapassa planos?

Ele é eterno, infinito e para sempre.

Combinado

O dia foi bem cinza, quase um urubu. Choro e vontade de desistir de sonhos e projetos passaram bem perto. Chegaram a entrar em mim. Balde de água fria em pleno inverno não vale, vai? E, mesmo me sentindo assim, não posso me dar ao luxo de ficar mais dez minutinhos na cama. Preciso acordá-los para a natação. Cheiro um, faço carinho nas costas do outro. Bom dia! Correria. Levo eles para lá, trago de volta pra cá. Educo, oriento. Faço o lanche. Minhas lágrimas vão junto na lancheira com o pão com manteiga e salame. No caminho para a escola, sou acarinhada por uma mãozinha. Tento trabalhar e nada flui. Busco na escola. Banho, jantar, tarefa. Choro mais um pouco, enquanto dou um tapa na louça para ver se as minhas lágrimas vão pelo ralo abaixo. Aí lembro: TPM? Pode ser, também. Mas, no fundo, nunca é só ela. Na hora de dormir não tenho forças nem para falar nem para abraçar.

– Mamãe, o que você tem?

– Eu estou triste, filho.

– Então pode deixar que eu faço a sua parte. Não precisa pegar na minha mão, eu pego na sua, eu faço a oração e abraço você para dormir! Combinado?

Eles não sabem, mas estou combinada com eles antes mesmo de eles chegarem por aqui. E é esse combinado que me dá força para seguir em frente.

– Combinado.

Qual sua impressão sobre
a maternidade?
Escreva aqui e compartilhe
comigo através do Instagram.
Faça parte do
@maeforadacaixa

significados

Por uma mãe

Sabe, meu filho, às vezes eu canso. Para falar a verdade acho que dizer "às vezes" não é sincero porque eu canso sempre. Sim, todos os dias.

É um tal de doar, doar, doar, e doar mais um pouco, mesmo quando acho que já não tenho de onde tirar. Eu espremo, espremo como quem torce a roupa ensopada para pendurar no varal. Chacoalho com vontade, como a criança que chacoalha o cofrinho atrás da última moeda para comprar o doce preferido.

E, nessa onda de cansaço, lido com sentimentos como medo, insegurança e culpa. Mas eu dou um jeito. Mães sempre dão um jeito. Busco no fundo da minha alma, forças para continuar. Doar. Orientar. Doar. Direcionar. Doar. Enfrentar. Dar limite. E doar mais um pouco. Por isso eu canso, sim, eu simplesmente canso.

Sabe, meu filho, na vida é muito melhor sentir cansaço do que não ter intensidade no que se faz. A superficialidade é vazia, não agrega nada. Nunca se esqueça: seja profundo.

Sabe, meu filho, quem sabe um dia, quando você for pai, consiga compreender. Eu espero do fundo do coração que sim. Não porque sou uma péssima mãe, seca de sentimentos e queira que você pague "com cansaço" tudo o que eu cansei. Não é nada disso. Eu quero que, se um dia você for pai, você se canse e muito. Eu canso não por não amar ser sua mãe, mas pelo completo oposto. É por te amar dessa maneira, que nem os anjos conseguem explicar, que me dedico a ti como jamais me dediquei a alguém. E eu quero que o seu pequeno coração se torne grande coração e seja capaz de ser preenchido em sua totalidade de células por essa capacidade de amar. Aí, sim, vou achar que a minha missão foi cumprida.

Porque lá, no fim, uma vida preenchida com afeto e relacionamentos verdadeiros é a única coisa que a gente leva. E saiba, meu filho: da mesma maneira que você é o motivo do meu maior cansaço quando a noite chega, no dia seguinte, quando o Sol nasce, é você o motivo da minha maior força para levantar.

Te amo!

MAMÃE

Por um filho

Você acha que ninguém valoriza o seu esforço, o tamanho do seu amor e tudo o que você faz. Digo porque te escutei falando sobre isso um dia desses, pelos cantos. Eu sei de tudo, desde o momento em que te escolhi, antes mesmo de chegar neste mundo.

Vi a sua alegria quando soube que estava grávida. Sei que você teve medo quando estava na sala de parto. Vi a emoção que você sentiu quando me olhou pela primeira vez. Sei que sofreu para amamentar, mas sei também que se esforçou, deu seu máximo. Vi a emoção de me trazer para casa. Sei que fazia tudo o que podia para eu não sofrer com as cólicas, sei também que às vezes chorava comigo. Vi sua cara de alegria quando eu sorri pela primeira vez.

Sei da exaustão que você sentia nas madrugadas, mas vi também que juntava forças para me alimentar, trocar, cuidar de mim. Vi você me ninar durante uma hora, mesmo com dor nas costas. Sei o quanto foi difícil me deixar na escolinha pela primeira vez, sei também que você voltou para casa chorando. Vi você se emocionar com os meus primeiros passos. Sei que você se levanta para me cobrir nos dias frios. Vi você segurar minha mão milhares de vezes, quando tive medo. Sei que você esteve comigo, o tempo todo, naquela noite em que tive trinta e nove de febre, tossia e chorava sem parar. Vi você chorar também.

Sei que estou crescendo, te enfrentando e que, muitas vezes, você não sabe o que fazer. Sei também que você sente muita culpa por brigar comigo quando eu passo dos limites. Mas, pode acreditar, eu preciso disso.

Sou pequeno nesse formato humano, mas nossas almas já são velhas conhecidas. Por isso, só eu sei a maneira como você consegue se doar mesmo quando quase não existem forças. Por mim, você sempre procura, no fundo do seu coração, uma forma de levantar e seguir. Por isso te escolhi, porque sou pequeno e preciso de cuidados, colo, refúgio e principalmente amor. Você é a minha guia neste mundo tão novo pra mim. E quando você estiver triste pelos cantos, lembre-se: eu sei de tudo.

Te amo!

A ALMA DO SEU FILHO

Por uma filha-mãe

Não vou mentir: quando me tornei mãe, foi muito confuso para mim. Afinal, anos e anos fui só filha e sempre tive você presente como suporte e referência. É muito confortável ser filha. Mas, de repente, vi-me assumindo o significado, que você tem para mim, para outro alguém.

Você, claro, esteve comigo e me ajudou. Tem um relacionamento incrível com os meus filhos e nos vemos com frequência. Mas sinto que, desde o início, você precisou se ausentar mais do que eu gostaria. Eu fiquei chateada, queria mais a sua presença. Sabe como sou: amo quando você está por perto, nossas conversas. Ficava segura de ter você comigo, ainda mais em um momento de tantas incertezas e aflições.

Mas você, muito sábia, não podia se permitir ficar tanto tempo. Estaria bloqueando o meu amadurecimento. Não podia estar sempre comigo porque sabia que eu precisava experimentar a solidão materna. Não podia estar presente com tanta frequência porque sabia que eu precisava passar por todos os desafios de ser mãe. Não podia estar disponível porque sabia da importância de eu formar o meu próprio núcleo familiar. Não podia se permitir estar sempre porque tem seu trabalho e suas coisas para fazer. Você nunca viveu a vida de ninguém.

Sempre deu valor à si mesma.

Essa é a melhor herança que você vai me deixar.

Foram nessas suas necessárias ausências que me redescobri em um novo papel. Foram as ausências que me fizeram cair e levantar. Errar e acertar por mim e não pelo que você acha. Isso me fez crescer! Só tenho a agradecer por você ter percebido do que eu precisava. Por querer me ver livre dos seus conceitos e das suas ideias e me deixar entender quais são as minhas ideias e os meus conceitos. Você, do seu jeito, fez com que eu acreditasse no poder das minhas asas. Hoje eu sei porque te escolhi.

Te amo.

Por uma mãe-avó

ROSELI VILARINHO

Filha, a vida é engraçada. Tudo se repete. Você veio tão pequenina. Lembro do dia em que a tive no meu colo pela primeira vez. Foi um sonho realizado. Ter uma menininha! Quantas e quantas vezes te abracei, te consolei para que parasse de chorar, guiei e segui seus passos, não quis nunca perdê-la de vista um momento sequer.

Hoje você é mãe, tão preocupada, tão cheia de certezas e de dúvidas. Às vezes mergulhada em caos, outras em calmaria. Dramas e comédias são comuns no seu dia a dia com suas crianças. Como eu a compreendo, filha, já vivi tudo isso. Acho mesmo que há algo transcendental no momento em que se dá à luz um filho, pois nada se iguala à força de uma mãe, especialmente daquelas que cuidam de crianças especiais ou com doenças graves.

Você formou sua família, está seguindo o seu caminho, criando seus filhos, com todas as alegrias e dores próprias da maternidade. Mas com uma grande diferença.

Você tem a vocação de verbalizar todos esses sentimentos, essas experiências do início da vida de ser mãe e a árdua tarefa de criar crianças. Quando leio seus textos, muitas vezes me pego pensando que se eu tivesse tido esse tipo de leitura na época em que era uma jovem mãe, teria sido bem mais fácil. Você escreve com realidade, mas com muita ternura. Suas palavras conseguem acolher e compreender muitas jovens que estão sendo tragadas pelo tsunami da maternidade. Preciso dizer quanto orgulho eu sinto ao ver a pessoa que se tornou. Mais orgulho sinto por saber que você sempre será aquela pessoa que eu conheço. Sempre terá uma palavra carinhosa para quem precisa. O que mais uma mãe pode querer?

Certa vez, li algo muito sábio que dizia: "Uma mãe sabe quando criou bem um filho quando se sente desnecessária". Achei perfeito! Fico extremamente feliz quando vejo que você dá conta da sua vida sem precisar de mim. Fiz um bom trabalho!

Te amo, filha.

Depois que eles dormem

Eles acabaram de dormir, inspiro e expiro profundamente. Minhas costas doem, não posso mais faltar ao ioga. Levanto. A casa em silêncio parece até um templo sagrado. Amo essa hora em que tudo pode ficar para amanhã. Amo a escuridão, e sentir a minha respiração. Preciso desse momento para estar comigo, ordenar meus pensamentos. É tanta função o dia todo. Essa é a hora em que encontro o silêncio. Descanso. Antes de sair do quarto, olho para eles. Beijo a testa de cada um. Me assusta a velocidade com que eles crescem. Mais um dia. Missão cumprida. Penso em tudo que já aprendi ao lado deles. Agradeço. E as brigas dos dois? Respiro. Lembro que hoje me estressei na hora do almoço. Culpa. Será que sou uma boa mãe? Dúvida. Lembro do comentário de uma mãe. Ela dizia que as dificuldades com filhos pequenos são bombons com brigadeiro perto do que ela está passando. O filho é dependente químico. Compaixão. Mães comentam sobre suas histórias e eu sinto vontade de abraçá-las pessoalmente. Carinho. Lembro que faz três anos que comecei a escrever sobre meus sentimentos de mãe. Percebo quanto caminhei até aqui e como essa rede e diálogo em torno do tema nos ajuda. Orgulho. Deito na cama, não consigo dormir. Lembro que, quando decidi engravidar, não fazia a menor ideia do que significava ser mãe. Penso que a maternidade talvez seja a escolha mais cheia de desafios da minha vida. Responsabilidade. E para as mães que passam por duras provações que mais parecem limões azedos? Força.

www.maeforadacaixa.com.br
facebook.com/maeforadacaixa
instagram.com/maeforadacaixa
youtube.com/maeforadacaixa
pinterest.com/maeforadacaixa

4ª reimpressão, junho 2024

Fontes HARRIET, BROWN
Papel PÓLEN NATURAL 80 G/M²
Impressão PAYM